LE CAVEAU DE FAMILLE

DU MÊME AUTEUR

Trucs et ficelles d'un petit troll, Hachette jeunesse, 2002.
Le Mec de la tombe d'à côté, Gaïa, 2006 ; Babel n° 951.
Les Larmes de Tarzan, Gaïa, 2007 ; Babel n° 986.
Entre Dieu et moi, c'est fini, Gaïa, 2007 ; Babel n° 1050.
Entre le chaperon rouge et le loup, c'est fini, Gaïa, 2008 ; Babel n° 1064.
La fin n'est que le début, Gaïa, 2009 ; Babel n° 1086.
Le Caveau de famille, Gaïa, 2011.
Mon doudou divin, Gaïa, 2012.

Titre original :
Familjegraven
Éditeur original :
Alfabeta Bokförlag, Stockholm
© Katarina Mazetti, 2005

© Gaïa Éditions, 2011
pour la traduction française

ISBN 978-2-330-01301-1

KATARINA MAZETTI

LE CAVEAU
DE FAMILLE

roman traduit du suédois par
Lena Grumbach

BABEL

AVANT-PROPOS DE L'AUTEUR

Ce livre est la suite du *Mec de la tombe d'à côté*. Si vous ne l'avez pas lu, vous n'aurez quand même aucun mal à suivre l'histoire, en parcourant le bref résumé ci-dessous.

Désirée Wallin, bibliothécaire trentenaire, est veuve depuis peu d'Örjan, un homme dont elle partageait les goûts, le style de vie et les opinions. Pourtant, leur mariage restait tiède. Elle s'est plus ou moins adaptée à sa nouvelle vie solitaire et consacre son temps au travail, mais elle a terriblement envie d'un enfant. Au cimetière, elle rencontre Benny Söderström qui se rend sur la tombe de sa mère. Il vit seul depuis la mort de celle-ci et essaie de faire tourner une petite exploitation de vaches laitières, mais il a du mal à joindre les deux bouts – qu'il s'agisse d'argent ou de temps. Ils tombent amoureux malgré d'énormes divergences d'intérêts et de façons de vivre ("Ce n'était pas exactement un déclic. Plutôt comme quand je touche la clôture électrique sans faire gaffe", dit Benny), mais ils peinent à accorder leurs quotidiens. La grande crainte de Benny est de se retrouver vieux garçon pathétique et il veut une femme qui puisse l'assister tant dans l'étable que dans la maison. Désirée ne pense pas être cette femme et elle ne tient pas du tout à abandonner sa vie pour s'installer à Rönngården. Ils finissent par rompre et s'enfoncent dans la déprime, l'un comme l'autre. Désirée sort avec un historien, Anders, mais elle se rend vite compte que c'est surtout le petit garçon d'Anders qui l'intéresse. Benny se met en ménage avec sa cousine Anita, qui lui donne exactement ce qu'il pensait chercher, de l'aide dans la maison et dans l'étable. Mais il n'arrive pas à tomber amoureux d'elle, "pas plus qu'il peut se mettre à fredonner des airs d'opéra".

Désirée finit par comprendre qu'il lui faut à tout prix un enfant, dût-elle être mère célibataire, et elle demande à Benny d'en être le père, sans pour autant vivre avec elle. Il accepte, mais en posant ses conditions. Il n'a certainement pas l'intention de lui laisser carte blanche si enfant il y a ("Tu transformeras mon gamin en un petit docteur en langues mortes !"). Ils décident de faire trois essais, au moment propice, comme dans les contes de fée. Lorsque Désirée aura le résultat du test de grossesse, ils prendront une décision : si elle n'est pas enceinte, ils couperont tout contact, si elle est enceinte – eh bien, ils y réfléchiront.

D'autres renseignements :

Les voisins de Benny s'appellent Bengt-Göran et Violette.

Märta, la meilleure amie de Désirée, vit avec un homme en fauteuil roulant.

Benny appelle Désirée la Crevette, "Pâle, recroquevillée sur ses parties molles, une carapace autour..."

PREMIÈRE ANNÉE

Ciel variable

1

Benny

La première nuit, en quittant l'appartement de Désirée je me suis cassé la figure dans l'escalier, et je pense que c'était tant mieux. J'ai glissé sur plusieurs marches, me suis rattrapé avec le coude contre la cage d'ascenseur – aïe, saloperie ! – et me suis retrouvé sur un genou, la jambe formant un angle bizarre, j'ai même eu l'impression d'entendre un craquement.

Un vieux en peignoir a ouvert sa porte et jeté un coup d'œil soupçonneux sur le palier et il m'a vu là, à genoux. Ça me faisait un mal de chien, je me suis mordu la lèvre pour ne pas crier, mais j'ai malgré tout voulu le rassurer. Pour lui faire comprendre que je n'étais pas une menace pour l'ordre public, je me suis incliné avec dignité devant lui. Benny, le Blaireau National. Il a claqué la porte, et je l'ai entendu tourner des clés et mettre des chaînes de sécurité. Il a peut-être cru que j'étais membre d'une secte bizarroïde, une sorte de Témoin de Jéhovah forcené qui faisait ses dévotions dans la cage d'escalier avant d'essayer d'enrôler des disciples. Seigneur Dieu !

Avez-vous déjà essayé de conduire avec une jambe raide et tendue et l'autre qui s'occupe de toutes les pédales à la fois, embrayage, accélérateur et frein ? Ma voiture avançait par bonds comme un lièvre dans un champ de patates.

Mais c'était tant mieux, donc. Parce que tout le lendemain, ma jambe m'a empêché de penser à autre chose, tellement elle me faisait mal. Si j'avais essayé, je crois que les connexions possibles auraient immédiatement provoqué un court-circuit dans mon cerveau. Désirée, encore. Tous les vieux sentiments qui me labouraient les entrailles. Anita. Elle dormait, heureusement, quand je suis rentré et encore au matin quand je me suis rendu à l'étable en boitillant sur ma jambe raide. J'ai été jusqu'à éviter de regarder ses pelotes de laine et ses aiguilles à tricoter sur la banquette de la cuisine pendant que je sirotais un Nes avec de l'eau chaude du robinet, sur le qui-vive pour me sauver rapidement et ne pas avoir à croiser son regard.

Et ensuite la traite, la jambe tendue. Mon genou était tout chaud et gros comme un ballon de hand, je sentais le sang pulser. J'ai fini par dégoter le botte-cul, l'espèce de pied unique à ressort qu'on attache autour de la taille. Ça faisait un bail que je ne l'avais pas utilisé, je n'ai pas trouvé le bon équilibre et je me suis vautré dans la rigole à purin et cogné le coude à nouveau, celui qui me faisait déjà mal. Étalé là dans la merde, je me suis bidonné en me disant que je l'avais bien cherché, gougnafier de mes deux. Et j'ai pensé que j'allais faire rire Désirée en le lui racontant. J'avais presque honte d'être heureux à ce point-là.

Sauf que je n'ai pas pu raconter grand-chose. Le moment n'était pas vraiment propice au bavardage et aux histoires drôles. Pour commencer, rien que le fait d'y retourner le soir ne m'a pas spécialement fait bomber le torse. J'ai dû mentir à Anita qui avait préparé des *isterband** avec des pommes de terre à l'aneth pour le dîner, mon plat préféré. J'ai remarqué le catalogue de *Guldfynd* sur la banquette, ouvert à la page des alliances, ma tête à couper que ce n'était pas un hasard, mais j'ai fait comme si je ne l'avais pas vu. Il m'a semblé qu'elle me regardait avec insistance, et j'ai pondu une fable comme quoi j'avais trébuché dans le grenier à foin et m'étais éclaté le genou, j'en ai rajouté pour me faire plaindre. Le gougnafier qui cherche à se faire consoler après un faux pas. Mais ça fonctionne toujours, l'infirmière en elle a pris le dessus et elle a examiné mon genou d'un air professionnel, a fait un bandage de soutien en déclarant que ce n'était qu'une petite entorse de rien du tout.

D'une voix étranglée j'ai marmonné que Berggren dans le village à côté avait besoin d'aide pour remplir un formulaire de l'UE, puis j'ai clopiné jusqu'à la voiture. J'ai pris la direction de la ville sur les chapeaux de roues, ce n'est qu'au bout d'un moment que je me suis rappelé que Berggren habitait de l'autre côté. Si Anita avait jeté un regard par

* Saucisse fumée au goût légèrement acide, préparée à partir de viande de porc, d'orge et de pommes de terre. *(Toutes les notes sont de la traductrice.)*

la fenêtre quand je partais, je n'aurais pas échappé à un interrogatoire en rentrant.

Je m'en fichais – l'important était que je parte, car j'étais un homme avec une Mission. Que diable, un super-héros ! Qui se pointerait avec ses pouvoirs magiques pour faire un enfant à une petite crevette ! Il ne manquait que la cape et le justaucorps. Et un logo sur la poitrine… Un spermatozoïde géant, peut-être ?

Je me suis demandé si je ne devais pas me sentir exploité. N'était-ce pas un abus sexuel, attraper un ancien amant et se servir de lui parce qu'on s'était mis dans le crâne d'avoir un mouflet ? Ne devrais-je pas plutôt redresser la nuque et rétorquer qu'elle n'avait qu'à ouvrir un compte dans une banque de sperme ?

Bah, je savais très bien que ceci était quelque chose que je ne pourrais pas m'empêcher d'accomplir, même si je devais sauter à cloche-pied jusqu'en ville avec ma patte folle. Et l'engouement pour les enfants n'était pas juste une nouvelle tocade pour Désirée. La seule chose qui me retenait de chanter *Hosanna* à tue-tête dans la voiture était un soupçon irritant que c'était précisément les petits gaillards à queue qu'elle guignait, pas moi personnellement. J'avais naturellement enfoui tous mes doutes dans un puits en bloquant bien le couvercle avec un serre-joint. Peut-être que je n'aurais même pas à expliquer quoi que ce soit à Anita ? Sait-on jamais, j'avais peut-être été exposé à de la kryptonite verte qui aurait fait faner tous mes spermatozoïdes ? Ou manipulé du

Roundup et autres mort-aux-rats à la ferme ? Et dans ce cas, à quoi je lui servirais, à Désirée ?

Après l'amour, elle a pleuré en disant qu'elle ne voulait plus qu'on se revoie, parce que je commencerais à lui manquer à nouveau. Moi ? À nouveau ? J'étais tellement confus que je me suis borné à dire "Ah bon", puis je suis rentré chez moi avec un mal au crâne monstrueux. Mais j'y suis retourné le lendemain soir quand même. On avait dit trois essais. Et si elle n'était plus d'accord, j'avais décidé de lui demander ce qu'elle entendait par "à nouveau".

Mais le troisième soir, elle n'était pas chez elle. En tout cas, elle n'a pas ouvert la porte.

2

Désirée

Je me suis réveillée avec l'odeur de Benny sur l'oreiller. Du savon, avec quelques touches de foin, d'huile de moteur et de café, et de la bouse de vache en note de tête. Pour paraphraser les pubs de parfums.

Ce jour-là était tellement étrange. Comme si j'étais sortie de ma vie et m'étais postée un peu plus loin. Mes pensées n'étaient que des griffonnages dans la marge, je faisais en quelque sorte l'école buissonnière loin de mon existence toute tracée, prévisible et somme toute assez agréable.

Car c'était un fait. J'étais obligée de me mettre entre parenthèses, de me figer au milieu du pas, jusqu'à ce que cette chose inouïe soit réglée. Si je tombais enceinte, nous serions forcés de tout reconsidérer et de redessiner la carte. Et si je ne tombais pas enceinte, tout n'aurait été que du *business as usual* et rien de particulier ne se serait passé.

Je ne m'étais pas sentie ainsi depuis que j'étais petite et que ma tante Anna-Lisa me menaçait de l'orphelinat si je disais des gros mots. Je venais de me trouver une copine, Agneta, c'était une voisine. Parfois elle disait "Saleté de merde" et essuyait de longs filets de morve avec la manche de son pull, je l'admirais infiniment et voulais être comme elle. Mais si papa apprenait que moi aussi je m'amusais à débiter des grossièretés, il me fourrerait dans la voiture pour me conduire dans une grande maison remplie d'enfants et de dames méchantes. C'est à ce moment-là que j'ai fait précisément ce pas de côté dans ma vie, je me suis tenue prête au pire pendant plusieurs jours. Je ne jouais pas avec ma nouvelle poupée pour ne pas qu'elle me manque trop ensuite. Ne parlais pas, pour ne pas dire un gros mot par inadvertance. Je débarrassais la table et me brossais les dents pendant une éternité pour faire bonne impression. Tante Anna-Lisa disait à maman qu'elle l'avait trop gâtée, sa gamine, mais heureusement il avait suffi que "quelqu'un" de ferme la prenne en main et arrête de la dorloter. Elle-même, donc. Ensuite elle est repartie chez elle et tout rentra dans l'ordre. J'appris même à dire "Saleté de merde" avec fougue et enthousiasme, mais seulement chez Agneta.

Subitement, "mon" appartement n'était plus uniquement le mien. Pour commencer, je pourrais mettre le petit lit à barreaux dans ma chambre et installer une table à langer au-dessus de la baignoire, mais ensuite je serais sans doute obligée de transformer mon bureau en chambre d'enfant. Au boulot, Lilian avait demandé si quelqu'un était intéressé par leur lit à deux places, son mari et elle avaient l'intention de faire chambre à part quand leur fille aînée serait partie. Il rentrerait pile-poil dans ma chambre, il ne faisait qu'un mètre cinquante de large et Benny pourrait…

À moins de choisir la petite pièce mansardée de Rönngården ? Elle pourrait devenir vraiment sympa, juste à côté de la chambre de Benny avec les rideaux en robe de bal, mais était-elle isolée contre le froid ou bien n'était-ce qu'un simple grenier ? Et comment aurions-nous les moyens de m'acheter une voiture ?

Sauf que dans le lit de Benny, il y avait une autre femme. Était-il allé se coucher à côté d'elle hier soir ? Je nous ai imaginées toutes les deux faisant la queue en même temps à la pharmacie, nous achèterions nos tests de grossesse puis nous partirions chacune de son côté et nous retiendrions notre souffle en voyant la réponse positive…

À ce stade, j'ai posé une enclume sur toutes les pensées qui bourdonnaient dans ma tête et je me suis mise sur Attente. *Standby.* Pas de projets avant de tenir le résultat du test dans ma main. Et aucun du tout s'il était négatif. Me suis-je dit.

Je n'avais même pas l'intention de rougir inutilement devant sa compagne. Évidemment que ceci n'allait pas marcher. Ce n'était que la lubie d'une femme seule qui ployait sous le poids d'un gigantesque réveil biologique dont elle voulait faire taire l'insupportable sonnerie.

Toute la journée, je me suis observée de l'extérieur, malgré moi. Une sensation d'irréel : voici une Femme Enceinte qui boit du jus d'orange, qui mange sainement et s'abstient de porter de lourdes piles de livres. Si je me comportais ainsi, c'est parce que je ne pouvais pas faire autrement ; le soir quand j'envisageais un petit verre de vin avec mon omelette, je voyais ma main le vider dans l'évier. C'était fascinant. Comme si la main était guidée par l'utérus, pas par des impulsions cérébrales.

Benny… Je n'arrivais même pas à penser à lui. Chaque fois que mon esprit essayait de s'engager sur ces chemins-là, je serrais les paupières et je descendais, marche après marche, dans ma Chambre intérieure particulière, comme on me l'avait appris au stage d'autohypnose. Mais il s'accrochait à moi quand même, comme une ombre sur une image télé mal réglée. J'ai été jusqu'à imaginer que c'était sa compagne qui était venue me reluquer à la bibliothèque cet après-midi-là. Comme si elle pouvait savoir qui j'étais, alors que nous ne nous étions jamais rencontrées !

Le soir il est revenu, vers huit heures. Depuis une bonne demi-heure, mon cœur battait comme si j'avais couru un marathon. Il avait l'air de boiter un peu, mais je n'ai pas voulu poser de questions, tout ça était bien trop fragile pour des paroles. Nous nous sommes seulement adressé des ricanements idiots, avant d'aller tout droit dans la chambre nous livrer à notre projet insensé. Ensuite j'ai pleuré et j'ai dit :

— Il ne faut plus que tu reviennes, c'est trop pour moi, je ne veux pas retomber dans le piège, tu vas me manquer à nouveau.

— Je t'ai manqué ? a-t-il dit et sa voix était remplie d'une authentique surprise.

3

Anita

J'ai tout de suite compris qu'il y avait anguille sous roche quand il a dit qu'il devait partir en ville et qu'il a disparu comme s'il avait le feu au cul. D'habitude il me bafouille toujours où il va, donc c'était forcément quelque chose qu'il n'avait pas envie de dire, quelque chose concernant cette Crevette arrogante dont il a tant parlé. Comme s'il essayait de s'éloigner d'elle par la parole.

Je n'ai jamais rien dit quand il alignait les anecdotes. Comment elle était devenue verte en le voyant nettoyer les box à veaux, ou le goût inimitable de ses boulettes de pois chiches. J'entendais bien qu'il essayait de se persuader qu'elle n'était pas celle qu'il lui fallait, et je n'avais effectivement pas grand-chose à ajouter, je ne l'avais jamais vue. J'attrapais seulement le pull que j'étais en train de tricoter, et au bout d'un moment ça entrait par une oreille et sortait par l'autre. Deux à l'envers, deux à l'endroit, puis changer de couleur et laisser le fil en attente, bien sûr je comprends que ça a dû être fatigant et ça te dit, des *isterband* pour ce soir ? Avec des patates à l'aneth ?

Je le regrette maintenant, de ne pas avoir écouté plus attentivement. Ça aurait été bien de savoir un peu à quoi j'ai à me frotter. Parce que après hier soir, j'imagine que plus rien ne sera aussi simple qu'hier matin. Quand il trouvait mes petits pains aux pistaches aussi bons que ceux de madame Ellen et quand on regardait ensemble un catalogue de bijoux. Or blanc, mince, avec une sorte de tresse tout autour. Une alliance ne doit pas être trop épaisse, c'est vite arrivé qu'elle s'accroche à quelque chose sur le tracteur et qu'on y laisse le doigt si la bague ne cède pas. Benny a intérêt à faire attention aux doigts qui lui restent.

Il est rentré à dix heures du soir. Je regardais la Tournée des Antiquaires à la télé – mon dieu, c'est fou ce que les gens peuvent garder comme vieilleries ! Maintenant il ne faut plus repeindre ou décaper les vieilles commodes, c'est tellement beau de les laisser telles quelles, paraît-il, usées et abîmées par les générations. Il n'a rien dit, est allé directement s'installer devant l'ordinateur, il a ouvert le nouveau logiciel de nourrissage qu'on n'a encore jamais utilisé. Il n'a fait que fixer l'écran, il n'a même pas touché le clavier.

Je suis allée le voir et j'ai demandé s'il voulait un café, mais il a seulement souri en hochant la tête, sans me regarder, comme s'il n'entendait pas ce que je disais. J'ai eu peur pour de vrai à ce moment-là, j'ai ressenti une sorte de pointe dans la poitrine et une migraine carabinée s'est déclarée. Alors je suis montée me coucher, en me disant que si jamais il se montre d'humeur coquine, je ne piperais pas mot de mon mal de crâne, ce ne serait pas la première fois. Si je dis que je n'ai pas envie parce que j'ai mal à la tête, ou que j'ai mes règles ou n'importe quoi, il me tapote gentiment la tête et s'endort, mais après il ne prend plus jamais l'initiative, c'est à moi d'essayer d'éveiller son intérêt la fois suivante. On dirait que ça lui est égal, faire l'amour ou pas, au moins avec moi.

C'est comme ça que c'est supposé être ? Parfois dans *Vecko-Revyn* il y a des articles sur "Comment éveiller son désir" et des questionnaires où on doit remplir de petites cases sur comment il est et ce qu'on est censée faire selon le cas. Comment on doit le surprendre en commençant à tirer sur son slip quand il regarde le sport à la télé et ce genre de choses, et l'embrasser et le lécher partout. Je n'ai pas encore essayé, ça me semble tellement ridicule, mais j'ai toujours gardé en tête que s'il perdait totalement l'intérêt, je me renseignerais un peu plus et je me mettrais à lécher, moi aussi. C'est sans doute ce qu'elle faisait, la Crevette. Beurk.

Mais on ne peut jamais savoir avec les hommes qui ont ce genre de boulot. Parfois il dit : "Que diable, tu comprends, en pleine moisson, on est trop vanné pour ça !" Ou alors deux, trois vaches ont vêlé la même nuit. Ou il a lavé l'épandeur de fumier et il trouve que tout a encore une odeur de merde. J'ai du mal à savoir.

Cette nuit en tout cas, je n'ai pas eu besoin de me mobiliser, avec ma migraine et tout. Il n'est monté se coucher qu'au bout de plusieurs heures, j'avais déjà éteint et je ne disais rien. Il s'est seulement allongé sur le dos, les bras sous la tête, mais il restait éveillé, je l'ai entendu à sa respiration. J'ai fini par m'endormir. En fait, j'étais totalement épuisée, parce que j'avais travaillé plusieurs nuits de suite et je n'avais pas encore récupéré. Quand je me suis réveillée le matin, il était déjà debout.

Toute la journée au boulot, j'ai eu des fourmis dans le corps. Il n'avait rien dit, il n'avait rien fait, mais j'ai senti que tout notre truc était mal barré. Si bien qu'après mon service, j'ai fait une chose que j'ai eu envie de faire plus d'une fois, mais sans que ça paraisse vraiment important : je suis allée à la bibliothèque pour la reluquer.

C'était franchement idiot. Je ne savais même pas à quoi elle ressemblait. Il n'a pas de photos d'elle, j'ai vérifié dans son portefeuille un jour. Il y en avait une qui se baladait perchée sur des talons aiguilles, une brune assez jolie dans un tailleur beige et avec des boucles d'oreilles en forme de petites feuilles d'or, mais elle avait deux rides profondes à la racine du nez comme si elle boudait tout le temps. Il avait dit que c'était une femme beige. Mais je ne pensais pas que ce soit elle.

À ce moment-là, j'ai entendu une vieille dame qui disait : "Tu n'as pas vu mon catalogue, Désirée ?" et j'ai aperçu une nana pâlotte à l'accueil qui regardait droit devant elle. Sans répondre.

Elle souriait toute seule. Et alors la pointe dans ma poitrine est revenue et je me suis dit que maintenant c'était foutu.

4

Désirée

Négatif. Le test de grossesse était négatif.

Je n'avais pas revu Benny depuis le soir où je pleurais dans ses bras et lui disais que c'était au-dessus de mes forces de le revoir. Il a sonné à ma porte le lendemain soir – je pense que c'était lui – mais j'étais blottie dans le noir serrant dans mes bras le coussin indien qu'il m'avait donné un jour quand il trouvait mon salon aussi triste qu'une salle d'attente d'hôpital. Il a sonné et sonné et j'ai laissé mes larmes ruisseler et je n'ai pas ouvert. La fragile soie bleue a été constellée d'auréoles de sel.

Pourtant, je crois que j'ai toujours eu l'intention d'expliquer à Benny pourquoi je n'avais pas ouvert. Plus tard quand nous serions de nouveau ensemble. Quand nous prendrions un café à la bibliothèque, le visage chiffonné par le sérieux de la situation, en train de déterminer comment faire face à cette grossesse. Comment nous allions habiter, comment attaquer le problème de sa compagne, savoir si nous nous installerions ensemble avant l'accouchement, si tant est que nous nous installerions ensemble. Si nous ferions faire une amniocentèse… D'une certaine façon, j'étais tellement persuadée que cet entretien dans la cafétéria de la bibliothèque allait bel et bien avoir lieu que le résultat négatif fut un véritable choc. J'avais déjà commencé à avoir des nausées le matin, bon sang ! Grossesse nerveuse, comme une chienne de deux ans.

Négatif. Le test était négatif. Je n'étais pas véritablement préparée à ça d'un point de vue émotionnel, même si tous les matins je m'étais répété comme un mantra "si le test est négatif, je m'offrirai une semaine aux Açores avant de décider comment poursuivre avec cette envie d'enfant…".

Bla, bla, bla, tu es ridicule, Désirée, tu ne trompes que toi-même… Quel que soit le nombre de brochures touristiques que tu empiles sur ta table de nuit.

Parce que je m'étais tout de même tiré une balle dans le pied, pour de vrai. Avant cette idée saugrenue de demander à Benny de me faire un enfant, je l'avais presque oublié. Non, peut-être pas oublié, mais je l'avais mis de côté. Rien n'était enterré, tout était toujours là, mais j'avais continué mon chemin, j'avais vu d'autres portes entrouvertes, senti de nouvelles odeurs charriées par le vent. Benny faisait partie de mon passé, et pas du pire d'ailleurs.

Ma vie était assez excitante, je pouvais me consacrer totalement à mon travail que j'adorais, mais je pouvais aussi essayer de faire un pas vers la maternité, et c'est ce que j'ai choisi, en premier. Je me sentais chaude et pleine de vie, comme un champ fraîchement labouré débordant de microbes indispensables qui attendent le semeur. Certes, je pouvais me rendre dans une clinique au Danemark. Au pire, je pouvais m'accouder à un bar et baratiner un semeur qui ne serait pas trop répugnant. Mais après une nuit de rêves agités où un Benny souriant marchait dans un champ en lançant des graines – des graines qu'il sortait d'un grand sachet de pop-corn – j'ai senti que c'était Benny, mon semeur. Je l'ai appelé. Naïve comme une adolescente qui a puisé toute son expérience dans les colonnes des magazines pour nanas.

J'aurais dû comprendre ce que je risquais. Subitement j'avais réactualisé un passé douloureux, j'en avais fait un présent. Il fut de retour dans ma vie, avec sa tignasse désarmante et son odeur, son accent et son humour. Comment allais-je pouvoir le restituer après l'avoir utilisé juste un tout petit peu et le rendre à la femme qui avait davantage de droit sur lui, puisqu'elle lui donnait exactement ce qu'il voulait ?

Pourquoi ne m'étais-je jamais posé cette question avant de fermer les yeux et de sauter ?

Car à présent il était trop tard. Maintenant il ne me restait qu'à l'appeler pour lui dire que ça avait fait flop, allez ciao et bonne chance. Et ensuite il y aurait de nouveau un vide à courants d'air à côté de moi. Qui serait encore plus difficile à combler que la dernière fois, puisque je savais combien c'était spécial avec Benny, combien j'avais du mal à en dénicher un autre du même gabarit.

Qu'elle aille se faire voir, saleté de Désirée bouchée et crétine avec son désir de maternité à la noix, si sentimentalement arriérée qu'on devrait lui interdire de s'approcher à moins de dix mètres d'un enfant fragile. Qui ne comprend pas plus sa propre vie affective qu'un sourd sait reconnaître les chants des oiseaux.

Bien fait pour toi, Désirée, maintenant tu peux arrêter de jouer avec la vie des gens. Toutes les vieilles questions que vous n'aviez jamais essayé de résoudre avec Benny pendant qu'il était encore temps, comment avais-tu pensé les aborder cette fois ? Sa compagne, tu avais imaginé qu'elle ferait quoi, tu pensais à un petit cadeau d'adieu sympa pour elle, un vase en céramique peut-être ?

La vérité est évidemment que je n'avais pas pensé du tout. Combien de fois ai-je entendu des femmes aigries avec des maris atteints du démon de midi dire que les hommes pensent avec leur bite… Pour ma part, j'avais pensé avec mon utérus. Allez, retourne te coucher dans ton panier, ma vieille, habitue-toi à l'idée de rester vide et de passer le reste de ta vie monotone à juste laisser s'échapper quelques décilitres de sang par mois. Allez Désirée, va l'appeler maintenant.

Je connaissais toujours son numéro de téléphone par cœur.

5

Benny

Elle m'a appelé à l'étable pendant la traite du matin. Anita n'y participe jamais, soit elle travaille, soit elle récupère après avoir été de nuit.

— Je ne sais pas comment le dire, a-t-elle dit.

— Vas-y franco, ai-je répondu, la voix épaisse.

J'ai pensé : Garçon ou fille ?

— Bon. Eh bien, ça n'a rien donné. Tu peux t'envoler, la cage est ouverte.

— Comment ça, rien ?

Je n'arrivais pas à penser. J'avais déjà commencé à lorgner le vieux tour à bois de mon père, pour fabriquer les montants d'un berceau.

— Le test n'a pas marché ? Ou tu essaies de te débarrasser de moi, tu veux filer avec le petit et le garder pour toi ?

— Tu n'entends pas ce que je dis ? a-t-elle dit, et je sais reconnaître quand sa voix est bordée de pleurs. Ça n'a rien donné ! Le test est négatif !

— Rien ? Rien… du tout ? ai-je répondu, bêtement.

La riposte ne s'est pas fait attendre.

— Pas d'enfant en tout cas ! Mais tu peux compter sur une portée de chiots vers le mois d'avril !

— Écoute-moi, Désirée, ai-je dit et j'ai laissé planer un petit silence dans le combiné. Tu m'écoutes ?

— Quoi ?

— Ça ne me fait pas rire.

— Non. Je sais. Moi non plus.

On s'est tus un instant.

— Il n'y a rien à faire ? ai-je demandé. Malin, comme toujours.

Elle a poussé un petit rire, toujours avec des larmes dans la voix.

— Qu'est-ce que tu proposes ? Il n'y a pas de pourvoi en cassation pour un test de grossesse, si c'est ça que tu as en tête.

— On pourrait faire d'autres essais.

Silence.

— J'ai dit…

— J'ai entendu ce que tu as dit.

Nouveau silence dans le téléphone. Autour de moi, les vaches s'agitaient de plus en plus. J'avais eu le temps de donner du fourrage à la moitié d'entre elles et l'autre moitié n'était pas contente du tout. Celles qui avaient eu leur ration l'avaient mangée et elles sentaient maintenant qu'il manquait quelque chose. Celles qui venaient de vêler et qui avaient les pis tendus hurlaient plus que les autres.

— Désirée, il faut que je…

— C'est toi qui as rompu, a-t-elle dit d'une toute petite voix sèche.

— Foutaises ! ai-je sifflé. C'est toi qui n'as pas voulu miser sur nous ! Et tu le sais ! J'en ai simplement assumé les conséquences !

— Et toi, tu étais prêt à miser quoi ?

Bonne question. Elle a dit autre chose, mais 575 Jessie meuglait à côté de moi et je n'ai pas entendu quoi.

— C'est pas possible ! ai-je crié. Je te rappelle quand j'aurai fini ici !

Elle a probablement répondu quelque chose, je ne sais pas. J'ai raccroché et me suis mis à la traite. Les bêtes étaient tellement perturbées qu'une d'elles m'a donné un coup de patte, un coup sec sur le côté. Mes vaches ne faisaient jamais ça, je ne m'y attendais pas. J'ai pris son sabot sur le genou, pas celui qui était déjà blessé, l'autre. Mes jambes ont fléchi et pour la deuxième fois en peu de temps, j'ai dérapé dans la rigole à purin. Est-ce qu'elles essayaient de me dire quelque chose ? Benny, espèce de merdeux ?

Dès que j'ai eu fini, je suis rentré, j'ai pris une douche pour enlever le plus gros et je l'ai rappelée. Elle n'a pas répondu, alors j'ai téléphoné à la bibliothèque. Elle était là.

— C'est encore moi. On peut parler maintenant.

— Moi, non ! a-t-elle sifflé. Puis, d'une voix normale : Vous avez cherché dans la base de données ?

Merde alors. On commençait juste à tresser un mince petit fil de nouveau et tout de suite les vaches et les usagers de la bibliothèque venaient y mettre leur grain de sel et voulaient avoir leur mot à dire. Au fait, n'était-ce pas comme ça la dernière fois aussi ?

— Tu m'as tellement manqué ! ai-je laissé échapper.

— Raccroche ! Je te rappelle dans quelques minutes.

J'ai attendu en tambourinant des doigts sur les fleurs bleues de la nappe cirée qu'Anita avait achetée pour ma vieille table de cuisine bancale. Puis elle a rappelé. Le son était brouillé, on aurait dit un ruisseau qui coulait dans le fond.

— Tu m'as emmené où, là ?

— J'appelle du portable. Je suis dans les toilettes de la bibliothèque.

Elle semblait un peu gênée.

— Les toilettes, c'est un monde tout de même qu'on soit obligés de faire des cachotteries pareilles, ai-je rigolé.

— Mais avoue que je t'emmène effectivement dans de nouveaux endroits. Que je t'ouvre des horizons nouveaux.

— Oui. Tu l'as souvent fait.

— Toi aussi.

Silence de nouveau.

— Je ne peux pas te laisser partir encore une fois ! ai-je fini par dire. Je vais fourguer les vaches à un marchand de kebabs, et je viendrai m'installer dans ton appartement aseptisé. Tu peux m'avoir comme animal de compagnie, je n'aboie pas, je ne chie pas par terre. Tout ce que tu as à faire, c'est me donner un bol de lentilles de temps en temps !

— Écoute-moi, Benny ! a dit Désirée, puis il y a eu un silence. Tu m'as entendue ? Ce n'était pas une plaisanterie.

33

— Dis quelque chose, toi aussi ! Je veux dire, je ne peux pas imaginer te perdre encore une fois !

— Je sais. Tu me hantes depuis deux semaines, Benny, tu me perturbes. Je n'arrive pas à me débarrasser de toi, moi non plus. Mais je n'ai pas l'intention de… Mince, il y a quelqu'un qui vient !

— On vient juste de perdre un enfant ! ai-je hurlé en désespoir de cause, mais elle avait coupé la communication.

Ce soir-là, j'ai dit à Anita que j'avais une réunion de la Fédération des Agriculteurs.

6

Désirée

Quand ils sont amoureux, les gens dégringolent à un QI de 72 environ, c'est ma théorie. Assez élevé pour pouvoir aller tout seuls aux toilettes et ne pas se faire arrêter par la police dans la rue, mais trop bas pour qu'on puisse accorder une quelconque confiance dans leur jugement.

Nous avons réussi à nous convaincre, Benny et moi, de nous revoir encore trois soirs, seulement trois, quand ce serait la bonne période du mois ! J'avais dû me tromper dans les jours propices, et nous n'avions pas eu l'ombre d'une chance la première fois ! Mais *ensuite*, nous ne nous reverrions plus, si ça ne donnait rien !

Quand il s'apprêta à partir le dernier soir de bonus, nous nous sommes agrippés l'un à l'autre comme si l'un de nous partait pour la guerre. Mes larmes coulaient, et en posant ma main sur la joue de Benny, je sentis qu'elle était humide aussi.

— Tu pleures, un grand paysan comme toi ?

— De la condensation, c'est tout, renifla-t-il.

Ni lui ni moi ne comptions sans doute plus sur un enfant. C'était comme si nous nous appliquions à nous duper nous-mêmes, à grappiller trois nuits de

rab avant de ficher la paix à notre histoire embrouil-
lée et impossible. Jamais je n'ai autant joui du sexe,
jamais je ne me suis sentie aussi près de quelqu'un
– mais c'était peut-être parce que j'avais conscience
qu'il n'y aurait pas de suite ? Que c'était un adieu
infiniment triste, un adieu que notre relation aurait
mérité de ne jamais connaître. Il ressentait probablement la même chose, parce qu'aucun de nous ne
parlait d'une suite durant ces jours. Globalement
nous ne parlions pratiquement pas.

— Nouveau tableau, non ?

— Mmmmmm. Tu t'es fait mal à la jambe ?

— Tu ne veux même pas le savoir.

En silence, nous allions dans ma chambre, en
silence nous faisions l'amour pendant des heures
et en silence nous nous séparions devant ma porte
quand il allait partir. Que pouvions-nous dire ? Je
ne voulais réellement rien savoir de sa nouvelle
vie, ni de sa nouvelle compagne, et je ne pense pas
non plus qu'il eût envie d'en parler, ni de connaître
la mienne.

Trois soirées peuvent se révéler un laps de temps
bizarrement long. Le premier soir on pense qu'on
est riche, il en reste encore beaucoup. Le deuxième,
on pense : "Malgré tout, ce n'est pas le dernier."
Le troisième soir on est tellement occupé à vivre le
moment qu'il paraît infini.

Ce soir-là, nous avons quand même prononcé
quelques mots. En se serrant très fort les mains, nous
avons répété nos promesses de ne plus nous revoir,
si le test n'était pas positif. Et comme des gamins,

nous nous sommes promis de faire un bisou dans le combiné après le dernier appel téléphonique et de penser à la bouche de l'autre. Le dernier baiser. Puis nous nous sommes dépêchés de dire que *si jamais* – alors nous en reparlerions.

Vous voyez le topo. On ne dirait pas du tout qu'on comptait devenir parents, n'est-ce pas ? Je comprends les couples qui se précipitent pour se faire faire des examens de fertilité dès qu'ils ont décidé de supprimer le préservatif, si ça ne donne rien au premier essai. Avant d'être enceinte, on est terriblement *pas* enceinte en quelque sorte – et on ne le sera peut-être jamais ?

J'ai pensé à tout ce qu'avaient dit mes amies, avec ou sans enfants, combien ça pouvait être coton de faire un enfant en prenant de l'âge. Il ne suffisait plus de juste insérer la pièce dans la machine à café, il fallait aussi prendre en compte des courbes de température et faire le poirier et Dieu sait quoi encore. Parfois je me disais que ces rendez-vous avec Benny que j'avais mis en place sur une impulsion n'étaient peut-être qu'une manière inconsciente d'essayer de faire taire mon corps et l'impitoyable tic-tac de l'horloge biologique : Tu vois ? Je fais de mon mieux ! S'il n'y a pas de résultat, ce n'est pas ma faute, c'est chez toi que ça cloche !

En réalité, je n'avais pas été jusqu'à échafauder des enfants à plus long terme. Après les trois premiers essais infructueux, qui en fait s'étaient réduits à deux, j'avais commencé à réellement envisager de m'installer à Göteborg, on m'avait fait une offre d'emploi là-bas. Ça pourrait être sympa, ils avaient un projet de maison du conte pour les enfants, avec une salle de projection. Je débordais d'idées. On pourrait faire une grotte avec des flambeaux et un éclairage magique où des conteurs s'en donneraient à cœur joie avec des fées et des fantômes. On pourrait organiser un festival de films pour enfants avec les mêmes caractéristiques qu'un festival pour adultes, des prix et des conférences, des fêtes et des premières, le tout en taille enfant. Je suis allée sur le Net voir un peu le marché immobilier et les appartements adaptés à mon portefeuille.

C'est alors que ma vieille gastro s'est réveillée. Je ne me sentais pas bien, le café et la fumée de cigarette m'incommodaient. Toutes les odeurs étaient beaucoup plus prononcées que d'habitude. J'étais fatiguée et sans entrain, je pouvais dormir dix heures d'affilée. Mes seins étaient gonflés, j'avais l'impression d'avoir deux pastèques endolories. Mes règles étaient en retard, j'ai interprété ça comme un signe typique de l'influence de l'esprit sur tout le cycle menstruel – quand on est obnubilé par sa fertilité, ces choses-là arrivent.

Puis j'ai pris le chemin de la pharmacie et j'ai acheté un nouveau test.

Positif ? J'ai fixé le petit bâtonnet. Je me souviens que ma première pensée confuse fut : "Mais alors, qui va organiser la grotte du conte à Göteborg ?"

7

Benny

Le piétin ! 416 Rosamunda avait chopé le piétin !
Aucune de mes vaches n'avait eu d'inflamma-
tion aux sabots depuis des lustres, je veillais toujours à les faire parer régulièrement. Mais j'avais
négligé pas mal de choses à la ferme dernièrement,
j'avais oublié de commander de la litière et avais
dû épandre de la paille moisie pendant quelques
jours, j'avais oublié le contrôle des chaleurs et ça
m'avait fait louper l'insémination de deux de mes
meilleures laitières. Je n'avais en tête que le coup
de fil de Désirée. Peut-être le dernier…

Je ne m'attendais pas spécialement à ce qu'elle
appelle et m'annonce que j'allais devenir papa, pas
cette fois, le problème n'était pas là. C'était fichtre-
ment improbable avec juste quelques malheureux
essais, ça, je l'avais bien compris. Jamais je n'avais
réussi à cocher plus de sept matchs gagnants sur
treize au loto sportif, alors !

Non, j'étais en train de ruminer comment j'allais
poursuivre. Certains jours je me demandais comment faire pour l'amener à m'ouvrir sa porte à nouveau. À moi j'entends, pas au foutu coq du village
qu'elle voyait manifestement en moi ! D'autres

jours, en apercevant Anita en train de feuilleter le catalogue de *Guldfynd* qu'elle fermait avec un air gêné à mon arrivée, je me disais que j'étais un crétin de première de rêver ainsi de faire machine arrière sur le chemin que je m'étais choisi. Ça serait plus compliqué que de reculer avec une remorque à deux essieux entre les deux poteaux d'une barrière.

Puis elle a appelé, au poste de l'étable. J'ai cru que c'était le vétérinaire, qui me faisait poireauter depuis des plombes, et j'ai rugi un "Oui !" énervé dans le combiné.

— Oui, a-t-elle dit.

Rien que ça. Oui.

— Oui ?

— Oui.

— Tu veux dire que…

— Oui.

— Ah oui…

— Ah oui ?

— Oui…

Très certainement l'entretien le plus crétin que nous ayons jamais eu, mais qu'est-ce que je pouvais dire ? Mon cerveau ne tournait plus rond. Remorque à deux essieux.

— Bon, je suppose que je dois me réjouir que tu n'aies pas dit "ah bon", a craché Désirée, puis elle a raccroché. Elle a raccroché !

J'ai fixé le combiné dans ma main. Ah bon ? Elle croyait que je m'en foutais ? Je l'ai tout de suite rappelée. Pas de réponse. Tant pis, elle était sans doute au boulot. C'était quoi déjà le numéro de la bibliothèque ? J'ai commencé à farfouiller dans les tiroirs de la laiterie à la recherche de l'annuaire quand ça a sonné de nouveau. Je me suis jeté sur le téléphone.

— Pourquoi tu me raccroches au nez ? C'est évident que je suis content, non ?

— Pardon ? a dit le vétérinaire.

Ça a continué comme ça toute la journée.

Le camion de lait s'est trompé de chemin, il est arrivé avec plusieurs heures de retard, si bien que j'ai dû repousser la traite du soir pour ne pas risquer de faire déborder le tank, et pendant que je rouspétais au téléphone avec la laiterie, un vieux con arrogant avec un chapeau tyrolien à carreaux s'est pointé pour dire qu'il était tombé dans le fossé avec sa voiture à quelques kilomètres, et moi qui avais "probablement" un tracteur, je devais le sortir de là, et assez rapidement s'il vous plaît, parce qu'il était attendu à une réunion. Et avant même que j'aie eu le temps de répondre, les impôts m'ont appelé, j'avais mal rempli un formulaire et la subvention de l'UE risquait d'être compromise et de plus, je pourrais carrément être poursuivi pour ça. Et pendant que je palabrais avec eux, le vieux était là dans le vestibule à pianoter avec les doigts et à s'impatienter : "Bon, qu'est-ce qu'on fait alors ?"

C'est à ce moment-là qu'Anita est rentrée. Elle a saisi la situation en un clin d'œil, elle m'a pris le combiné et a dit au fisc : "On va vérifier ça et on vous rappelle", elle a préparé un café au vieux con et a eu le temps de me dire par-dessus l'épaule que le camion de lait arrivait, elle l'avait doublé au virage des Lundgren. Je suis retourné dans l'étable pour engueuler le chauffeur et traire les vaches, et quand je suis revenu, Anita avait sorti la voiture du fossé avec le tracteur, et en plus elle avait extorqué du bonhomme tout un tas d'informations utiles concernant les droits et les devoirs quand on remplit des formulaires casse-tête, c'était apparemment une sorte de juriste. Si bien que le truc avec le fisc, elle allait s'en occuper dès le lendemain, m'a-t-elle gaiement annoncé.

Je me suis laissé tomber sur la banquette de la cuisine, j'ai appuyé mon front contre la table, les bras autour de ma tête. J'avais un de ces maux de tête. Quel pétrin ! Je n'avais pas eu une minute pour rappeler Désirée, et maintenant je serais obligé de le faire sans avoir pu réfléchir avant. La seule chose que j'avais en tête était : qu'aurait fait Désirée si c'était elle qui vivait ici et rentrait du boulot à l'instant ? Elle se serait mise en pétard en constatant que la traite n'était pas faite, puis elle aurait sauté dans la voiture pour retourner en ville voir un film culte français…

J'ai senti les pouces musclés d'Anita commencer à masser ma nuque et la migraine a cédé.

Je me suis retourné, j'ai mis les bras autour de ses hanches et j'ai chialé comme un môme.

8

Anita

Et voilà. C'est la fin, Séraphin ! Il ne me reste plus qu'à rassembler ma vie et à plier bagage.

Si quelqu'un m'avait dit il y a une semaine que ça se terminerait ainsi, je ne l'aurais pas cru. Ce n'est pas possible. Pas Benny, que j'ai connu toute ma vie. Il n'agit pas comme ça. Il ne va pas faire un bébé à une ancienne copine, et exprès qui plus est. Uniquement parce qu'elle le demande. Quand est-ce qu'il a eu le temps pour ça, d'ailleurs ?

— Mais tu as quand même dû t'en rendre compte ? a-t-il pleurniché. Je n'étais pas là pendant plusieurs soirs de suite ! Le mois dernier et là, il y a deux semaines ! Ça ne m'était jamais arrivé avant !

Ah, les hommes, toujours à se justifier. Ce n'est jamais leur faute.

À l'entendre, on aurait presque dit que c'était la mienne, parce que je n'avais rien remarqué d'inhabituel. Mais quoi, il avait dit qu'il allait aider Berggren à remplir des formulaires et qu'il avait une réunion à la Fédération et je ne sais quoi encore. Et de toute façon, j'avais mes cours du soir de compta, je n'étais pas là, moi non plus.

Et même si je m'étais fait la réflexion "Tiens, c'est bizarre, ça fait plusieurs soirs de suite que Benny n'est pas là !", je ne me serais pas dit : "Bah, il est sans doute juste allé faire un bébé à une ancienne copine !"

Non, c'est arrivé comme une surprise, on peut le dire sans hésitation. Il m'a tout raconté ce soir houleux où le camion de lait était en retard et que j'avais sorti la voiture de M. Nordéus avec le tracteur. J'étais de bonne humeur, je m'en souviens, parce que je me sentais vaillante : d'une part, j'avais réellement réussi à tirer la voiture du fossé, ça ne fait pas très longtemps que je conduis le tracteur. D'autre part, Nordéus m'avait donné quelques tuyaux vraiment utiles, vous n'avez qu'à invoquer la clause exceptionnelle dans le paragraphe trois du formulaire, c'est au dos, avait-il dit. C'est ce que j'aurais fait si Benny ne m'avait pas tout raconté ce soir-là. Du coup, je n'ai rien dit et je m'en fous s'il est obligé de rendre tout l'argent et qu'en plus il aura à payer une amende. En quoi ça me concerne ?

Je vais préparer ma petite valise et essayer de faire déguerpir Marit à qui j'ai sous-loué mon appartement. Ça ne devrait pas poser de problème de récupérer mon plein-temps à l'hôpital, ils manquent de personnel dans mon service.

Je regarde autour de moi dans la cuisine. Je crois que je vais emporter les rideaux, pas que j'en ai besoin pour mon petit deux-pièces mais ce n'est certainement pas pour la Crevette que j'ai fignolé cette cuisine, alors là, non. Si jamais elle venait habiter

ici, j'entends, et si elle était du genre à prêter attention aux rideaux. Benny n'a pas arrêté de me casser les oreilles avec ça, à quel point elle manque de
sens pratique, incapable de faire ceci, incapable de
faire cela !

Et ce soir-là, il en a remis une couche. "Elle ne sera
jamais comme toi, Anita. Jamais elle ne m'épaulera
comme tu l'as fait !"

À quoi elle va te servir alors, bordel de merde,
voilà ce que j'avais envie de lui hurler. Pourquoi
fallait-il que tu lui fasses un enfant, à elle précisément ? Tu ne crois pas que moi, j'aimerais avoir
des enfants ?

Mais il n'a fait que geindre et s'étendre sur toutes
mes qualités, combien j'avais été bonne pour lui,
j'avais même réussi à faire partir son mal de tête…
Mais elle avait tellement envie d'un enfant, elle ne
lui demandait même pas de prendre ses responsabilités, elle avait dit qu'elle s'occuperait du môme
elle-même, mais il ne pouvait tout de même pas la
laisser faire ça. Évidemment qu'il allait s'occuper
de son enfant, et puis il avait envie de l'avoir près
de lui…

Quel homme magnifique, ce Benny qui prend ses
responsabilités, et cette Crevette qui n'exige rien de
lui, quelle classe… J'ai envie de leur vomir dessus,
à tous les deux. Et tes responsabilités en ce qui me
concerne, Benny, après m'avoir fait bosser pour toi
et m'occuper de toi pendant presque un an ? Tu les
prends ? Et pourquoi est-ce que je dois déménager,
si la Crevette "n'exige" rien ?

Et si je refusais tout bonnement de m'en aller ? Si je disais, eh bien, évidemment il faut que tu paies pour l'enfant, Benny, mais il se trouve que moi aussi je suis enceinte, et c'est tout de même plus pratique si c'est moi qui reste. Dans la mesure où j'y suis déjà, et tu sais que je peux t'aider avec l'exploitation ! Alors si tu dois assumer des enfants, tu assumeras le mien aussi, tu ne lui dois pas plus à elle qu'à moi ! Et ensuite je n'aurais qu'à simuler une fausse couche, ou alors carrément arrêter de prendre la pilule. Il ne sait sans doute pas compter sur ses dix doigts, il ne les a même pas, et s'il a des soupçons, ce sera trop tard.

De toute façon, j'ai eu l'intention de l'arrêter un de ces jours. Parce qu'on voulait avoir des enfants, avais-je cru. Ensemble.

Je ne fais que me leurrer. Il n'a jamais ressenti pour moi ce qu'il ressent pour la Crevette. Je lui sers à autre chose.

Putain de Benny. J'espère qu'il se prendra une amende tellement salée qu'il ne pourra pas se relever. J'espère qu'il ira en prison pour fraude aux subventions.

Et la table de la cuisine est à moi, et le fauteuil du salon qu'il aime tant.

9

Désirée

Je crois que nous l'avons vécu de la même façon, Benny et moi.

Que c'était réellement le destin qui nous avait unis en nous tenant fermement par la peau du cou. Que nous devions commencer à nous attaquer à toutes ces choses que nous n'avions pas su gérer.

Ça n'a pas roulé comme sur des rails, je peux l'affirmer. L'espèce de nostalgie mélancolique et passionnée (ou naïve et sentimentale) qui nous avait envahis quand nous pensions que c'était fichu, que ça ne serait jamais nous deux et pas d'enfants non plus – elle s'était d'une étrange manière envolée. J'avais même du mal à me rappeler à quel point il m'avait manqué, quand je rentrais de la bibliothèque dans le froid et le vent, ivre de fatigue et avec une seule pensée dans le crâne : dormir.

Et j'ai dormi, dormi, dormi. Je dormais à chaque instant d'éveil, pourrait-on presque dire. Je rentrais dormir à la maison pendant la pause déjeuner, avec le minuteur du four à micro-ondes réglé sur vingt minutes. Il m'arrivait de me glisser entre deux étagères dans le dépôt de la bibliothèque, de m'adosser au mur et de somnoler pendant un quart d'heure. Quand je dormais, je n'avais pas besoin de penser.

C'était probablement pire pour Benny de maintes façons. Il m'avait raconté comment il s'était plusieurs fois cassé la figure dans la rigole à purin et qu'il avait interprété cela comme l'intervention d'une puissance supérieure pour lui faire comprendre qu'il avait été une grosse merde. Et que ce n'était pas fini. Parce qu'il aurait maintenant à se dépatouiller, à mettre des projets aux oubliettes, rompre des promesses et se conduire comme un mufle.

Dans mon état de demi-sommeil, je n'ai pas eu la force de le plaindre, ni d'ailleurs de plaindre sa cousine, la femme brune que j'ai vue une seule fois de loin, une femme qui d'après Benny était une excellente personne au bon cœur, propre et énergique. La seule fois où nous nous sommes vus, Benny et moi, la première semaine après l'émotion du résultat, à la cafétéria de la bibliothèque, il n'a pas arrêté de me rebattre les oreilles de cette Ange de la Ferme. J'ai failli barbouiller son visage mal rasé avec mon gâteau à la crème. Elle avait appris à conduire le tracteur, cette Anita, elle s'était chargée du contact avec l'administration, elle savait cuire les *isterband* comme personne ! Bon Dieu ! Croyait-il vraiment que c'était ça que j'avais besoin d'entendre, alors que l'odeur de café et la fumée de la salle me donnaient des haut-le-cœur ?

Je me suis tortillée sur ma chaise en toussant. À un mètre de moi, quatre femmes grillaient des clopes derrière un ficus déplumé qui marquait la séparation avec la section fumeurs. Benny s'est tu un instant pour me taper dans le dos.

— Tu as avalé de travers ? dit-il. Au fait, tu ne veux pas un autre gâteau ? Ça augmenterait la teneur en graisse de ton lait…

C'était la seule allusion ce jour-là à notre future condition de parents ! Mon projet en entier se mit à vaciller – allais-je réellement mettre notre avenir dans les mains d'un homme qui avait la capacité d'extrapolation d'un protozoaire ?

Mais je suppose que c'est la mauvaise conscience qui l'a poussé à tant insister sur les avantages d'Anita. J'ai remarqué que les hommes ont tendance à porter aux nues les femmes qu'ils sont en train de tromper. Ça rend peut-être la culpabilité un peu plus facile à porter. Pour la femme trompée, c'est moyennement sympa à entendre. "Ce n'est pas à cause de toi, tu es la fille la plus chouette au monde…" Si jamais Benny essayait ce style avec moi un jour, je lui enfoncerais ses paroles dans le gosier avec une brosse w.-c., puis je serrerais la cravate qu'il n'a pas !

(Non, je ne souffre pas de sautes d'humeur ! Je m'en délecte !)

Mais je suppose que l'autre catégorie d'hommes est encore pire, les maris qui se considèrent comme des victimes innocentes de leur épouse triste et / ou malveillante. Comme disait Sten à l'époque où il m'appelait la nuit pour se plaindre : "Tu sais, Birgitta ne m'a jamais compris." Pour finir, je lui ai répondu "Moi non plus !" en lui raccrochant au nez. D'ailleurs, c'est après ça qu'il a refusé le financement de mon projet de film pour enfants.

Pour dire la vérité, j'ignorais totalement comment j'aurais géré l'affaire moi-même, si par exemple l'histoire entre Anders et moi avait mené à quelque chose de stable. Qu'est-ce que j'aurais choisi pour rompre ? L'Idéalisation, Les Lamentations ou la version des lâches, La Disparition Pure et Simple ? Peu importe. La douleur est la même pour celui qui est abandonné. En fait, le mieux serait peut-être de se conduire comme un enfoiré de première pour que celui qu'on quitte soit tellement en colère qu'il oublie plus facilement. Mais allez savoir... Pour ma part, j'avais seulement été quittée par la mort, et même ça, ça m'avait mise en rage contre mon pauvre Örjan.

J'ai en tout cas conseillé à Benny d'être particulièrement sec avec Anita pour lui permettre de se réjouir d'avoir vu sa véritable nature à temps, et ensuite de lui donner une compensation financière généreuse pour son travail. Une proposition totalement idiote, une méchanceté insipide – mais j'étais tellement fatiguée que j'aurais pu poser ma joue dans le cendrier des fumeuses et m'endormir sur place.

Oh, comme j'étais fatiguée. Quand je ne dormais pas, soit j'avais des nausées, soit j'étais furieuse contre tout et rien, le plus souvent les deux à la fois. À moins d'être en train de sangloter dans un coin. Savoir qu'il s'agissait de tempêtes hormonales n'y changeait strictement rien – au contraire, quand quelqu'un me le faisait remarquer, je sentais ma colère s'amplifier. Ne venez pas essayer d'encadrer *ma* réalité !

10

Benny

Dire ce qu'il en était à Anita n'a pas été aussi terrible que je l'avais redouté. Ça a été dix mille fois plus effroyable que dans mes pires cauchemars.

Je ne comprends pas ce que je m'étais imaginé. Qu'elle allait me caresser les cheveux, masser ma nuque et dire : "Ça va s'arranger, Benny !" comme tant de fois auparavant ?

Et qu'aurait-elle dit ensuite ? "Elle pourra habiter en haut dans la chambre, je prendrai la banquette de la cuisine."

Je ne voulais pas qu'Anita déménage ! Je m'étais habitué à sa compagnie dans l'étable, à sa présence paisible et silencieuse quand je m'effondrais devant la télé le soir et zappais sur une connerie livrée par la parabole.

Qui allait se charger des embrouilles avec l'UE, et est-ce que Désirée aurait vraiment envie de venir habiter ici ?

La vérité vraie, c'est que j'étais sujet à la bigamie. Benny et son harem à deux femmes, l'une en tablier, l'autre à poil. Et peut-être une troisième en salopette de travail.

Si Anita avait été ma sœur, ça aurait pu fonctionner. Elle aurait pu renâcler et grogner et se disputer avec Désirée pour le pouvoir dans la cuisine, mais il y aurait eu de la place pour les deux, comme c'était le cas pour maman et grand-mère et tante Gertrud quand j'étais petit. L'air était tellement saturé de sarcasmes qu'on aurait pu tailler dedans avec un couteau, mais, à condition que papa ne se mêle pas de leurs histoires, elles réglaient ça entre elles et trouvaient une hiérarchie, comme les chiens. Il n'y a que les citadins pour les attraper par la peau du cou et les asperger d'eau quand leurs affrontements virent à la bagarre, alors qu'il suffit de les laisser gérer ça à leur façon, même si ça fait du barouf. Je parle des chiens, donc, pas des femmes dans la cuisine. D'ailleurs, je pense que la Crevette aurait très vite abandonné la partie...

Une sœur, oui – mais une cousine ne peut pas rester et faire partie du ménage, en tout cas pas une cousine qui a partagé votre lit pendant un an. Même si ce lit-là n'accueillait pas vraiment des parties de jambes en l'air torrides, je veux bien l'admettre. Parfois j'avais l'impression qu'Anita aurait tout aussi bien pu sortir ses aiguilles et se mettre à tricoter en pleine action. Elle était toujours partante, bien sûr, mais il n'arrivait jamais qu'elle soit prise d'une passion subite, qu'elle m'attrape et m'entraîne au lit, pour ainsi dire. Pour elle, c'était quelque chose qui devait être fait, un peu comme la lessive hebdomadaire. Non, là je ne suis pas sympa, je sais qu'elle essayait de tester des trucs qu'elle avait lus dans le supplément d'un tabloïd à la con : "Voici comment les hommes préfèrent le sexe !" mais moi, ça m'a plutôt gêné quand elle commençait à farfouiller sous la couverture, tête la première. Seigneur, quand je pense à ce que la Crevette pouvait entreprendre avec moi parfois, elle me menait au bord de l'évanouissement et jamais ça ne m'a gêné – mais Anita était ma *cousine* ! Que je connaissais depuis qu'on jouait au docteur !

J'ai essayé de le lui expliquer. J'ai cru qu'elle allait me tuer. J'ai tout de suite caché le couteau à désosser et mis des piles neuves dans le détecteur d'incendie.

J'aurais bien aimé en parler avec la Crevette, mais la seule fois où on s'est vus pendant cette période, je me suis entendu délirer sur les qualités d'Anita. C'était comme si ma langue vivait sa propre vie, qu'elle n'était plus guidée par ma volonté. Évidemment, ce n'était pas faux, ce que je disais, mais j'aurais bien aimé lui demander ce que je devais faire avec la furie que j'avais lâchée dans la maison. Parce qu'Anita est tout simplement devenue quelqu'un d'autre ces jours-là. Une personne que je n'avais jamais connue. Elle répondait hargneusement, elle se foutait de la cuisine et elle a planté la voiture dans le poteau de la clôture. Elle est juste descendue et a contemplé l'aile avant bousillée en éclatant de rire. J'ai essayé de lui demander quels tuyaux il lui avait donnés, le vieux avec son chapeau à carreaux qui s'y connaissait en formulaires UE, elle m'a simplement répondu : "Ton avocat te l'expliquera. Quand tu seras derrière les barreaux. Espèce de crétin."

Super. J'avais l'impression que la seule femme de ma vie à ne pas m'avoir vu comme un crétin, c'était ma mère. Mais elle était peut-être trop gentille pour le dire ouvertement.

Ensuite ça a été des montagnes russes avec des hauts et des bas. Un jour en rentrant, je pouvais la trouver en train de pleurer, le catalogue de *Guldfynd* sur les genoux, et elle cherchait ma main. Et moi, je rougissais jusque dans le dos, incapable de proférer le moindre son.

Le lendemain elle essayait d'arracher le papier peint avec les ongles, le papier peint tout neuf qu'elle avait posé elle-même, on aurait dit une folle. Je n'ai pas su quoi faire. Pour finir, j'ai demandé si elle ne connaissait pas quelqu'un à l'hôpital qu'elle pourrait consulter.

Pour toute réponse, elle a lancé mon nouveau lecteur CD par la fenêtre.

Fermée, la fenêtre, par-dessus le marché.

DEUXIÈME ANNÉE

Temps sec et ensoleillé

11

Désirée

Benny m'a appelée à la bibliothèque, des sanglots dans la voix. Au début, j'ai eu du mal à comprendre ce qu'il disait.

Anita aussi était enceinte ! Elle venait de le lui annoncer !

J'ai lâché le combiné, droit sur mon tout nouveau bureau en bouleau. Puis je l'ai repris et j'ai dit sur un ton guilleret : "C'est chouette, dis donc, je suis sûre qu'ils vont bien s'entendre ! Il te faudra trouver une poussette pour jumeaux, si jamais ils viennent te voir tous les deux en même temps !" Puis je lui ai raccroché au nez.

Je me suis portée malade pour migraine et suis rentrée à la maison dormir quatorze heures d'affilée.

C'est la sonnerie du téléphone qui m'a réveillée, je ne savais pas où j'étais. Il faisait toujours nuit dehors et j'ai renversé le téléphone avant de trouver le combiné. C'était Benny.

— Elle avait tout inventé ! crépita-t-il. Elle est triste et je le comprends et c'est vraiment pénible en ce moment, mais il faut qu'on…

Dans le fond j'ai entendu des meuglements de vaches et des tic-tac de machines à traire. Il appelait de l'étable. J'ai raccroché, débranché le téléphone et me suis rendormie.

En me réveillant, j'avais la certitude que je pourrais me débrouiller avec l'idée que je ne vivrais peut-être jamais avec Benny. N'aurais jamais à enlever les chiures de mouches des fenêtres de sa cuisine, jamais à trimballer la poussette sur des chemins de terre embourbés sans éclairage public. Je l'ai rappelé à l'étable et le lui ai annoncé.

— Ce qui ne signifie pas que je ne veux pas essayer ! ajoutai-je. Simplement, il faudra que tu sois très, très certain de ce que tu fais. Là, on ne parle pas de savoir qui est enceinte et qui ne l'est pas. On parle du fait que je ne sais pas conduire un tracteur et je ne sais pas préparer les *isterband* ! Je hais les *isterband* !

Ma voix était partie dans les aigus. Je me suis reprise.

— Hmm… Tu pourrais vivre avec moi, même si ça voulait dire que plus jamais tu n'aurais d'*isterband* au dîner ?

Il a observé un instant de silence.

— Et le *palt**, tu aimes ? tenta-t-il.

Trois semaines plus tard, j'ai pris le bus et j'ai débarqué chez lui avec un paquet de *palt* format familial. Anita avait déménagé la semaine précédente.

J'ai eu un choc en arrivant dans la cuisine.

---

* Boulettes aplaties à base de pommes de terre crues râpées et de farine d'orge, farcies aux lardons et cuites dans de l'eau salée. Elles se dégustent habituellement avec du beurre et de la confiture d'airelles.

D'accord, Anita et moi n'avions pas les mêmes goûts. De petites étagères emberlificotées avec dix mille cases pour des coquillages et des pots miniatures en cuivre, ça n'avait jamais été ma tasse de thé. Chez moi, il n'y avait pas de bouquets d'immortelles ni de suspensions compliquées de rideaux en vichy, avec cantonnière et embrasses. Benny se plaignait souvent de ma cuisine qui lui faisait penser à une cantine scolaire.

On ne pouvait pas nier qu'elle avait fait un boulot herculéen avec l'affreuse vieille bicoque. C'était un intérieur maintenant, et d'une certaine façon ses goûts en matière d'architecture intérieure étaient bien plus en phase avec le bâtiment que les miens. Ceci n'était pas une cuisine pour des luminaires high-tech et des meubles en acier chromé.

Ça m'a fait une telle impression que je me suis laissée tomber sur la banquette en bois décapé – nouvelle, elle aussi – pour simplement regarder. J'avais tout le temps pensé à Anita comme L'Autre Femme, mais je commençai à me rendre compte que l'autre femme, c'était moi. Au bout d'un moment je me suis relevée et mise à la recherche d'une marmite – neuve – puis j'ai laissé glisser les boulettes dans l'eau frémissante, l'une après l'autre. Elles n'avaient pas l'air spécialement appétissantes, et j'ignorais totalement avec quoi on était supposé les manger. Une salade de roquette aux pignons ?

C'est le moment qu'a choisi Benny pour arriver de l'étable, les cheveux mouillés et vêtu seulement de ses sabots et d'un caleçon long Helly Hansen.

Il s'était douché dans la nouvelle cabine de douche qu'Anita l'avait obligé à installer au sous-sol. En me voyant, il s'est illuminé, mais je crois qu'il a été encore plus content en apercevant la marmite de *palt*.

— Et comme un gage d'amour je reçois ce *palt* ! dit-il tout joyeux.

Avec sa fourchette, il en a pêché un qu'il a mangé sur-le-champ, mais ensuite il a déploré que je n'aie pas acheté de confiture d'airelles pour aller avec.

Benny m'a prévenue qu'Anita allait revenir le samedi avec son frère aîné – qui était donc aussi le cousin de Benny – et une camionnette, pour chercher tout ce qui lui appartenait.

— Je devrai m'estimer heureux si Pelle n'apporte pas son fusil de chasse, dit Benny. Il n'a jamais hésité à filer une rouste à ses copains quand il trouvait qu'ils se comportaient mal avec elle, quand ils devenaient trop familiers, tu vois ce que je veux dire. Anita était désespérée. Mais là, je doute qu'elle lèverait le petit doigt pour l'arrêter.

— Ça va faire un énorme vide ici, énorme ! ajouta-t-il. Anita a viré la plupart de mes affaires avant de venir s'installer. Tu as carte blanche pour arranger tout ça comme tu veux !

Il m'a regardée du coin de l'œil. Il savait très bien que les goûts d'Anita s'approchaient beaucoup plus des siens que ne le feraient jamais les miens. Et il n'était même pas sûr que je vienne vivre avec lui, j'étais restée floue sur ce point. Son offre était sans doute plus à voir comme lorsque le gouverneur de la ville tend à contrecœur les clés au conquérant, en se croisant les doigts dans le dos.

Anita leur avait soigneusement construit un foyer et elle y avait vécu en paix jusqu'à ce que je débarque avec ma lubie d'avoir un enfant avec son homme. Et était arrivé ce qui était arrivé.

J'avais pulvérisé toute son existence et j'ai senti qu'un jour j'aurais à en payer le prix.

12

Benny

Mon père disait toujours que personne ne peut rester amoureux plus de trois mois, après il devient
fou. Maman le regardait un peu de travers quand il
parlait comme ça et alors il se dépêchait d'ajouter :
"Et ensuite, eh bien ensuite on s'aime pour de vrai,
si on a de la chance ! Comme moi !" Et même s'il
n'était pas un Roméo, je crois qu'il était sincère, et
maman aussi. Elle n'a jamais vraiment encaissé sa
mort. Après sa disparition, elle avait pris une drôle
d'habitude, elle tournait tout le temps la tête, comme
si elle s'attendait à ce qu'il soit là, à côté d'elle.

Si ça se trouve, elle sentait sa présence.

J'aimerais qu'on soit soudés de cette manière,
Désirée et moi. Sauf qu'à tous les coups, il y aura
plus d'un écueil pour y arriver !

Il m'a fallu deux mois pour lui faire dire si elle
voulait venir vivre avec moi ou pas. Elle a fini par
déclarer qu'elle ne pensait pas le vouloir, mais
qu'elle le ferait. Merci bien, en matière d'enthousiasme, on peut faire mieux !

De plus en plus souvent elle restait la nuit. Au
matin elle prenait ma bagnole pour retourner en
ville, en bâillant et pestant. Il faut l'avoir vue dans

la cour en train de gueuler et de filer des coups de pied à ma vieille Subaru, qui ne supporte pas quand il gèle.

Souvent, quand on regardait la télé, je l'emmitouflais dans une couverture et ça ne loupait pas, elle s'endormait immanquablement sur le canapé et ensuite elle n'avait plus le courage de repartir chez elle. C'était exactement ce que je voulais.

Ce n'était pas pour le sexe, ce volet-là s'est un peu retrouvé en carafe, je n'osais pas me servir à volonté comme avant. J'avais en quelque sorte l'impression de piétiner une terre sacrée, comme si j'allais titiller le crâne du bébé avec Popaul. Désirée reniflait et disait que pour l'instant le bébé n'était qu'un têtard entouré d'un airbag à toute épreuve, alors vas-y, lâche-toi ! Bizarrement, elle-même était plus chaude que jamais. Il lui arrivait de me réveiller quand je m'étais endormi après un premier batifolage, elle gémissait et gigotait en me grimpant dessus. Elle prétendait que sa montée hormonale exigeait ça, mais je ne suis pas si sûr, il y a des mecs qui disent que leur femme est devenue froide comme un poisson une fois enceinte. Mais c'est vrai que Désirée ne ressemblait à personne, c'est probablement pour ça que c'était elle précisément qui m'avait fait tourner la tête.

Non, je voulais qu'elle reste la nuit surtout pour lui démontrer que c'était possible de faire la navette entre la ville et la ferme et quoi qu'il en soit, il faudrait bientôt qu'on soit fixés, si elle ne voulait pas me voir investir son appartement avec mes vaches.

Parce que le berceau du têtard, il n'y en aurait qu'un, à un seul endroit, on était assez d'accord là-dessus.

Puis elle a fermé les yeux et a fait le saut de l'ange !

Elle a vendu son appartement avec une jolie plus-value. Elle s'est acheté une Volvo qui démarrait même par moins dix et un beau jour ensoleillé je suis venu chercher toutes ses affaires avec la remorque.

Anita et Pelle étaient arrivés à Rönngården comme deux frelons en colère et avaient emporté à peu près tout ce qui était portable. Je me suis borné à les regarder, adossé au chambranle en proposant plusieurs fois de leur faire un café.

— Toi ? Tu sais même pas comment fonctionne la cafetière ! a craché Anita.

Après le dernier voyage avec la camionnette, les pièces vides résonnaient de façon sinistre et dans les placards de la cuisine il ne restait que le papier adhésif sur les étagères. Je n'avais jamais vraiment réalisé à quel point Anita avait contribué à la maison, je dois le reconnaître.

Chercher les affaires de Désirée en revanche s'est fait en un clin d'œil, elle n'a jamais été très portée sur le mobilier. Cela dit, ses cartons déglingués remplis de livres ont eu raison de mon dos, après ça j'ai dû faire la traite plié en deux. En revenant de l'étable, je l'ai trouvée assise par terre dans le salon pleurant à chaudes larmes parce que ses meubles n'allaient pas avec le papier peint d'Anita. Il est joli, pourtant, ce papier peint, je l'ai toujours trouvé joli, avec de grosses fleurs et des feuilles.

— Ils se jettent sur moi, tes murs ! Je vais me faire aspirer par cette foutue jungle, elle va finir par m'engloutir !

Je me suis assis à côté d'elle et je l'ai prise dans mes bras. Mon dos me faisait souffrir le martyre, ça me donnait des sueurs froides.

— Je partirai en safari à ta recherche ! ai-je dit en la berçant maladroitement. Et je te trouverai dans une case d'indigène, et on découvrira un nouveau pays ensemble où aucun homme blanc n'a jamais mis les pieds !

J'ai parlé non-stop, c'était la seule façon de la faire taire.

— Sale impérialiste ! a-t-elle dit, mais en souriant et elle s'est jetée à mon cou. Jusqu'à la fois d'après où quelque chose l'a exaspérée, je crois qu'il s'agissait du placard à balais.

— C'est quoi ce truc monstrueux ? Pourquoi vous avez remplacé la vieille armoire avec le miroir ? Je l'aimais bien.

Le moment était mal choisi pour lui dire que c'était moi qui avais construit le truc monstrueux en question, sur les indications d'Anita. Elle en avait été tellement contente qu'elle avait fait un gâteau au chocolat pour le dessert ce jour-là. Eh oui, comme on fait son lit…

13

Désirée

Pendant trois mois, j'ai réussi à garder le secret de ma grossesse à la bibliothèque. L'appartement était vendu, mais je ne l'avais pas dit au boulot, je ne devais le rendre qu'un mois plus tard et nous n'avions même pas commencé le déménagement. Mais un beau jour les yeux de faucon de Lilian ont repéré quelque chose et son moulin à paroles bien huilé s'est mis en route. Nous étions dans la salle du personnel.

— Alors toi, Désirée, soit tu es devenue boulimique, soit tu es enceinte ! Pâle comme tu es et sans entrain, et tu cours au pipi-room sans arrêt !

Et comme je n'ai pas été suffisamment rapide à renier mon enfant, elle a bondi de sa chaise et annoncé la bonne nouvelle à tous ceux qui étaient à moins de vingt mètres de distance de la porte, personnel comme usagers.

— Écouteeez ça ! Notre petite Désirée a un polichinelle dans le tiroir ! Ma puce, je suis si conteeente pour toi, qu'enfin…

Elle voulait sans doute dire qu'enfin quelqu'un avait bien voulu coucher avec moi. D'ailleurs, je détestais cette expression, "un polichinelle dans le tiroir", comme si j'allais mettre au monde une sorte de pantin bossu le jour venu.

— Mais dis-moi, quiii donc est l'heureux papa ?

Si j'avais été dans mon état normal, j'aurais sans doute répliqué hargneusement : "C'est ton mari, le papa, tu n'as pas remarqué qu'il rentre tard le soir depuis quelque temps ?" Mais comme je ne l'étais pas, je n'ai rien dit, je l'ai laissée poursuivre.

— Tu t'es trouvé un nouveau soupirant ? Ne me dis pas que c'est ce drôle de garçon, le paysan que tu fréquentais à un moment ? (Ta gueule ! Ta gueule ! Ta gueule !) À moins que… Elle baissa théâtralement la voix, se pencha en avant et trempa pratiquement son nez dans mon café. C'est peut-être un sujet sensible ? Le petit papa se trouve peut-être ici, à la bibliothèque ?

C'est ça, elle n'avait pas loupé que j'avais eu une brève romance avec Olof, mon chef, ou plutôt un *one night stand*, des années auparavant.

Elle a réussi à faire de moi la petite fiancée de la planète entière, et je n'ai pu que ciller et me racler la gorge, toute malheureuse. Tout le monde m'a dévisagée, ils attendaient une réponse.

Inez Lundmark était là, seule dans un coin à sa table en train d'avaler son éternel lait caillé, cuillerée après cuillerée. Elle s'est arrêtée un instant et a contemplé Lilian.

— Lilian, tu montres un grand intérêt pour ce sujet. Peut-on en conclure que tu te demandes ce que ton mari a fabriqué ces temps-ci ?

Inez ! Je n'aurais pas pu le dire mieux moi-même.

Lilian a retiré son nez pointu, elle est devenue écarlate, a poussé un rire hystérique et a quitté la salle. Inez savait très certainement que Lilian s'était déjà frottée à ce genre de soucis. Et comme Inez n'avait pas pour habitude de commenter le comportement d'autrui, le poids de son intervention a incité les autres à m'oublier et à plutôt se jeter sur ce nouveau sujet.

Mais Lilian n'avait pas oublié. Elle m'a prise sous son aile de sa façon condescendante et a commencé à m'inonder de conseils.

— Eh oui, tu vas voir, les choses vont changer maintenant ! Finies les longues matinées paresseuses avec les mots croisés du *Dagens Nyheter* ! Pour les couches, tu ferais mieux de te les faire livrer directement à domicile, on peut les commander sur Internet, ça ne coûte pas très cher. Et ne lésinez pas sur la qualité du landau, plus il est cher, mieux il sera ! Puis quand il aura des coliques – ils ont toujours des coliques, ou mal aux oreilles – il faut que tu aies quelqu'un, un proche, dans la maison, qui prendra les choses en main pour que tu puisses dormir. C'est important de dormir correctement, sinon on vieillit avant l'âge ! Et ne prête pas attention à ce que te disent les sages-femmes de la PMI, qu'il faut absolument allaiter, ça affaisse les seins, et ensuite il faut se payer une chirurgie esthétique hors de prix !

J'ai eu envie de la mordre. La forme de mes seins ne m'empêchait nullement de dormir, mais le reste de ce qu'elle disait m'écorchait un peu partout. Benny et moi n'aurions guère les moyens de nous faire livrer des couches à domicile, et notre bébé se contenterait de dormir dans une vieillerie de chez *Les Fourmis**. Des proches dans la maison ? J'ai imaginé mon vieux père, qui n'avait jamais eu d'attention pour quelqu'un d'autre que lui-même, arpenter Rönngården la nuit dans son uniforme de commandant, un bébé écarlate hurlant à tue-tête dans ses bras. Nous n'avions pas d'autres proches. À moins de compter cousine Anita.

En fait, je ne sais pas pourquoi j'avais gardé pour moi l'information concernant ma nouvelle situation – par habitude, je suppose. Ce jour-là, j'ai fait un tour à *Mothercare* pendant la pause déjeuner sans me soucier de savoir si on me voyait, et ensuite j'ai appelé Benny. Il a commencé par rouspéter, il n'avait aucune envie de prendre la voiture et de venir en ville au beau milieu de la journée, ça dérangeait son flux, comme il disait. Je n'ai pas lâché l'affaire, j'ai dit que si c'était comme ça, j'annulerais la vente de l'appartement, pour une fois il pourrait quand même faire un effort et bouger ses fesses ! Je voulais planifier. Je voulais acheter des choses qui rendraient l'avenir plus visible. Et je ne voulais pas le faire seule.

Normalement, j'aurais dû passer l'après-midi à cataloguer de nouvelles acquisitions, mais j'ai posé une RTT, puis Benny est arrivé et nous sommes allés au rayon enfant d'Åhléns. J'ai mis mon nez dans

* Chaîne de boutiques d'occasion, faisant partie de l'Armée du Salut. Son activité est comparable à celle d'Emmaüs en France.

14

Benny

Il s'est passé un truc dans mon cerveau quand j'ai vu les petites godasses, comme quand la vis trouve subitement son chemin dans l'écrou. Je les ai tout de suite achetées, alors que j'avais à peine de quoi me payer les nouveaux filtres à lait que j'étais venu chercher.

Dans ces chaussures viendraient de petits pieds, et ces pieds allaient grandir jusqu'à chausser du 44 pour les rangers du service militaire – quoique, le service militaire, il n'existerait peut-être plus, ils feraient sans doute appel à une société de sécurité pour embaucher des troufions… Mais bon, disons des bottes d'étable à bouts renforcés, taille 44 !

Et on vaquerait à nos occupations dans l'étable, mon fils aîné et moi, il distribuerait l'ensilage pendant que je m'occuperais des veaux, et les prélèvements pour le contrôle du lait iraient beaucoup plus vite…

Il serait comment ? Est-ce qu'il aurait les cils blonds de Désirée et ses cheveux fins ou est-ce qu'il hériterait de ma grosse tignasse rebelle ?

Désirée m'a subitement poussé du coude, j'ai failli me rétamer dans l'allée du magasin. Je me suis aperçu qu'on s'était déplacés, on était dans un autre rayon et ça faisait apparemment un petit moment que je fixais bêtement un mannequin en guêpière et culotte de dentelle noire.

— Je te jure, Désirée, je ne regardais pas ça… ai-je commencé.

— Je sais, a-t-elle dit en souriant. Moi aussi je l'ai vue, la petite chaussure. C'est sympa, je trouve, que les filles aussi font du foot de nos jours. Quand j'étais au lycée on n'était que quelques-unes.

Tout d'abord, je n'ai pas compris ce qu'elle voulait dire.

Puis j'ai pigé.

Une fille ! C'était peut-être une fille qu'elle portait sous son duffel-coat informe ! Une mignonne petite fille avec des cheveux bouclés, une fille qui marcherait sur les talons de papa… un fichu sur la tête… qui jouerait avec le chat dans l'étable et qui voudrait un cheval et…

J'ai saisi le poignet de Désirée et l'ai entraînée tout en regardant autour de moi. Là ! Juste à côté de l'entrée, un monte-charge. "Réservé au personnel", mais je m'en fichais. Désirée a résisté un peu, mais je l'ai poussée dans l'ascenseur et j'ai appuyé sur le bouton du dernier étage. La cabine s'est mise en marche avec un soupir et j'ai défait son duffel-coat et glissé ma main à l'intérieur, j'ai monté son pull et posé à plat ma paume sur son ventre. Il était étonnamment chaud.

Elle ne disait plus rien. Et on est restés là dans l'ascenseur à dire bonjour à notre bébé. On est montés, on est descendus, trois fois. La quatrième fois, la porte s'est ouverte et on a failli se faire écraser par un transpalette chargé de plantes vertes. Le mec du magasin en blouse de nylon nous a jeté un regard suspicieux.

Elle est venue avec moi à la ferme. On est montés au grenier en gardant nos manteaux, ça caillait là-haut.

— Je n'ai plus qu'à m'y mettre, ai-je soupiré. Je voudrais aménager des chambres d'enfants ici. Et sans tarder, j'aimerais que ça soit à peu près fini avant les labours de printemps !

— *Des* chambres ? a-t-elle dit, tout de suite sur la défensive. Tu sais que la plupart du temps, on a un bébé à la fois, n'est-ce pas ? Pas toute une portée ? Et que les femmes sont pleines pendant neuf mois ?

— Les vaches aussi en font un à la fois, ma petite chérie, ai-je dit. Mais on ne peut pas repousser les labours de printemps pour après l'accouchement. Si je n'ai pas le temps de tout isoler avant, je le ferai après les labours d'automne. Jusque-là, on n'a qu'à le garder dans notre chambre. Dans un panier à côté du lit… je ne veux pas qu'il soit entre nous…

Ça lui a cloué le bec. J'ai bien vu comment elle a goûté les mots "notre chambre", elle les a ruminés avec la même expression dans les yeux qu'ont les vaches quand on vient de les nourrir et de remplacer leur litière. Notre chambre.

— Tu veux dire ta chambre… a-t-elle tenté.
— Notre chambre !

Elle s'est tue un moment avant de demander :

— J'aurai droit à une lampe de chevet ?

Tiens donc, elle avait remarqué que je n'en avais pas. Mais quoi, le soir je tombais de fatigue, je pouvais m'estimer heureux si ma tête touchait l'oreiller avant que je m'endorme, une lampe pour lire ne m'avait comme qui dirait jamais fait défaut. Cela dit, pourquoi pas !

— Tu pourras faire ce que tu veux dans notre chambre, à part faire monter des messieurs ! ai-je dit.

J'avais encore à l'esprit le malaise qui s'était installé la dernière fois que je m'étais mis en tête d'égayer un peu la pièce.

— Si tu la veux entièrement blanche et sans rideaux avec un lit d'hôpital en tube d'acier pour toi, n'hésite pas ! Et une lampe de chevet, bien sûr, mais l'extinction des feux est à dix heures ! Tout ce que je demande, c'est de garder mes bonnes vieilles couvertures de cheval et mes oreillers crottés, et un petit tabouret dans un coin pour poser mes vêtements.

— Dix heures ? a-t-elle dit d'une voix assez pointue.

— Après tu liras avec une lampe de poche sous la couverture. Je me lève à cinq heures et demie, moi.

Elle pouffa.

— Tu sais, c'est comme ça que les livres sont les meilleurs !

Voyez, un petit nuage de perturbation qu'on a réussi à dissiper en bonne intelligence. C'était prometteur pour l'avenir. Ce qu'on est obligé de supporter, on peut tout aussi bien apprendre à l'aimer.

Et j'allais l'avoir auprès de moi, toutes les nuits. En réalité, elle aurait pu installer un système d'éclairage digne d'une patinoire de hockey sur glace, je me serais quand même endormi heureux comme un pape tous les soirs. Avec un masque sur les yeux, s'il le fallait.

15

Désirée

La lampe de chevet m'a fait l'effet d'un coup de massue sur la tête.

Jusque-là, je n'avais absolument pas réalisé qu'à l'instant où le camion de déménagement partirait pour Rönngården, je pourrais dire adieu à ma confortable vie de célibataire. Plus jamais je ne mènerais mes rituels du soir toute seule, par exemple.

En général, je me préparais pour la nuit de bonne heure en m'organisant une agréable soirée au lit. De la musique, j'avais une installation hi-fi dans la chambre, quelques nouveaux livres sur ma table de nuit aux dimensions généreuses, une tasse de thé vert et peut-être un fruit, une lampe qui sans éblouir éclairait ce que je voulais lire, à moitié assise dans le lit réglable à ma convenance. Ou alors les infos de la nuit à la radio pendant que je sirotais mon thé et écrivais mon journal et mes poèmes.

J'avais arrêté de regarder la télé le soir, étant toujours aussi accro qu'une ancienne droguée et de plus, j'avais beaucoup trop de chaînes câblées. Si je me laissais aller à brancher le journal télévisé, je restais souvent scotchée devant le poste jusqu'à plus d'heure, les yeux écarquillés et zappant entre des débats, des films, des animaux bizarres de la jungle et des documentaires sur la Seconde Guerre mondiale. Parfois je pouvais m'endormir pendant une comédie légère et me réveiller deux heures plus tard en me demandant pourquoi tout le monde à l'écran était en train de se tirer dessus.

Les soirées à Rönngården avaient certes eu leur intérêt même si on attendait de moi que je supporte d'abord le sport et la météo à cinq jours – elles se terminaient toujours dans les bras chauds de Benny. Je m'en réjouissais d'avance. Mais lampe de poche sous la couverture et pas le moindre espace pour laisser mon âme me rattraper ? Ne jamais écouter la radio, l'édition du soir dédiée à notre société contemporaine ? Je devrais peut-être prendre la nouvelle chambre au grenier pour mon compte personnel et apprendre à Benny comment on allaite ?

Puis le jour est arrivé, et j'ai surveillé d'un œil inquiet le déménagement de mes possessions, rares mais tellement appréciées. Benny a commencé par laisser tomber un joli plat en céramique dans l'escalier et il a tout de suite pesté contre des assiettes aussi grandes qui de toute façon ne rentreraient pas dans les placards. Et en fin de compte, il n'a pas voulu s'encombrer de mon lit en tubes d'acier réglable en plusieurs positions.

— On aura un lit double, toi et moi, large et d'un seul tenant, dit-il. Pas besoin de réglage, on s'occupera des positions nous-mêmes…

Mouais, on pouvait le voir comme ça. J'ai capitulé avant de comprendre qu'il avait déjà acheté le lit de Bengt-Göran et Violette. Ils allaient faire chambre à part, parce que Violette travaillait tôt le matin et Bengt-Göran ronflait. Commencer ma vie conjugale dans le vieux lit de Bengt-Göran et Violette ! J'ai frissonné. Mais je venais d'acheter la Volvo et j'ai réalisé que mes économies avaient fondu, ce n'était pas le moment de dilapider le peu qui restait. Benny a reniflé de mépris quand j'ai dit que je voulais au moins racheter un matelas. Du chipotage ! Leur matelas avait juste la bonne fermeté pour nos galipettes, disait-il avec un clin d'œil coquin, mon lit d'hôpital était trop mou, il n'offrait aucune résistance, on gondolait dessus comme des canards sur une mer déchaînée !

J'ai tout de suite eu les genoux en compote. Saleté de Benny, il savait exactement sur quels boutons appuyer ! Je pensais au sexe à longueur de journée, ça devait être la turbulence des œstrogènes.

Nous avons donc emménagé à Rönngården, ensemble et officiellement, avec changement d'adresse pour moi et résiliation de mon abonnement téléphonique. C'était un jour de printemps froid et couvert, et j'aurais aimé qu'il me porte pour franchir la porte, mais Benny a ahané et dit que je devais choisir, soit il portait mes cartons de livres soit ma personne. Son dos n'encaisserait pas les deux. Mais il a offert de me tenir la main si je voulais avoir la gentillesse de faire un petit saut pour marquer mon entrée dans la maison.

Nous avons beaucoup ri pendant cette première phase. Jamais je n'aurais cru que ça pouvait être aussi chouette de se trouver sur un pied d'égalité et d'aménager son petit nid. J'étais aux pinceaux, je posais le papier peint et Benny s'occupait des menuiseries. J'ai bien vu qu'il s'est gardé de faire des commentaires sur mon choix de couleurs – la jungle hystérique d'Anita est devenue blanc anti-quaire, et les volants des rideaux de cuisine ont fini en chiffons – et bien sûr que j'ai battu en retraite devant deux ou trois de ses idées d'aménagement alors qu'elles me donnaient envie de me rouler par terre de rire. Mais je pense qu'on peut globalement dire que nous étions heureux sans réserve pendant cette période. Plus heureux que je ne l'avais jamais été avec Örjan, alors que lui et moi étions toujours d'accord sur la décoration de notre appartement.

Chaque nuit je m'endormais dans l'immonde lit double avec Benny derrière mon dos et sa main sur mon ventre.

Je faisais beaucoup de photos aussi avec mon petit appareil photo numérique. Le soir, je les entrais dans mon ordinateur portable, j'écrivais des légendes et rédigeais un petit journal que j'appelais la *Feuille du Sorbier**. Je l'imprimais et le donnais à Benny le vendredi, qui était devenu notre soirée de détente. Il était bouche bée d'admiration pour moi d'avoir su fabriquer une telle chose et il a fini par sortir un vieux classeur hideux marqué "Membres

---

* Littéralement, *Rönngården* veut dire : la ferme du Sorbier.

16

Benny

Les premières semaines après l'emménagement de Désirée ont été magnifiques. Un samedi matin elle a décidé de venir dans l'étable avec moi. Je lui ai donné une vieille combinaison et elle a noué un fichu autour de ses cheveux, elle était à croquer. J'étais comme un gamin, tout fou, je trébuchais presque sur mes propres pieds tellement j'avais envie qu'elle aime ce qu'elle voyait. Anita serait sans doute partie à la recherche du couteau à désosser si elle avait vu à quel point je fayotais, jamais je ne faisais ça avec elle.

Au début, Désirée avait peur d'entrer dans les logettes.

— Tu te rends compte de leur *taille*, Benny ! Elles me réduiraient en purée si elles me sautaient dessus !

— Ce ne sont pas des panthères, Désirée, ai-je dit avec beaucoup de patience. Elles aiment les humains ! Ce sont les humains qui les nourrissent et les traient ! Elles ne savent pas *sauter* ! Et de plus elles sont entravées !

— Elles me réduiraient en purée si elles se penchaient juste un tout petit peu sur le côté ! a-t-elle protesté. Si elles me poussaient contre cette petite clôture ridicule !

— La séparation, tu veux dire ? Et pourquoi veux-tu qu'elles fassent ça ?

— Mais tu imagines, j'arrive là toute contente avec mon racleur pour nettoyer leur box et elles décident de lancer une ruade et *vlan* ! Je serais KO !

— Tu penses aux *chevaux*, Désirée ! Les chevaux lancent des ruades. Les vaches envoient une patte arrière sur le côté, une sorte de rotation simplement, au pire des cas. Cela dit, ça peut faire mal aussi.

— Je ne leur fais pas confiance, surtout pas à celle-là ! a-t-elle dit en lorgnant la pauvre vieille 415 Linda qui est la vache la plus paresseuse au monde. Elle donne peu de lait mais elle mange tout ce qu'elle peut attraper avec sa langue allongée, elle est grasse, brune et brillante, vue de derrière elle a quelque chose d'un meuble en acajou. C'est toujours elle, la plus difficile à faire sortir au printemps, je suis obligé d'utiliser la baguette pour la faire quitter la table d'alimentation et sortir à l'air libre. C'est sûrement sa taille qui a fait peur à Désirée.

— La seule dont tu dois te méfier, c'est celle-là, ai-je dit. C'est une vraie peau de vache, sans jeu de mots, méchante et tout, et en plus la montée de lait lui fait mal aux trayons, il n'y a pas très longtemps qu'elle a vêlé. N'entre pas dans sa logette, j'ai même été obligé de lui poser une entrave anti-coups.

Désirée m'a regardé d'un drôle d'air.

— Tu me poseras une entrave anti-coups à moi aussi si je donne des coups de patte quand j'aurai vêlé ? a-t-elle dit. Si la montée de lait me fait mal ?

On s'est regardés, on était vraiment heureux. Il restait cinq mois, mais c'était tout le temps présent dans notre esprit.

J'ai fini par lui donner un balai avec mission de balayer la table d'alimentation. Un boulot qu'elle ne pouvait pas faire capoter, il n'y avait qu'à repousser un peu les bouchons de foin pour faire place au fourrage frais. Puis je suis allé chercher le foin. Quand je suis revenu elle avait "balayé" la moitié de la table. C'était aussi propre que le sol de sa cuisine aseptisée, aurait-elle trouvé une brosse à récurer quelque part ? J'ai souri intérieurement et lui ai montré comment nourrir les veaux avec de la bouillie. Ce n'est pas toujours très facile, ils ont le réflexe de pousser avec le museau sur le pis de leur mère pour avoir accès à la nourriture. Ça veut dire qu'ils font pareil avec le seau et le renversent tout le temps et parfois ils se le prennent sur la tête – et ça n'a pas loupé ! Je l'ai entendue jurer et pester contre eux.

— Mais espèce de petit abruti ! Elle est là, la nourriture ! Regarde en bas, *en bas*, j'ai dit ! Schlurp, schlurp, allez, vas-y, crétin de veau ! *Non*, regarde ce que tu as fait, partout sur ma combinaison !

Elle était rouge, en nage et trempée de bouillie quand elle avait fini. On est allés ensemble dans la cabine de douche et elle a proposé de me savonner. Naturellement, elle a ensuite profité de moi sans la moindre honte.

Mais en arrivant dans la cuisine, ça a failli déraper.

— Je suis vannée ! a-t-elle soufflé et elle s'est étalée sur la banquette avec le journal. Je suis incapable de préparer à manger juste là !

— Mais tu n'as pas faim ?

J'ai presque été obligé de lever la voix pour couvrir le grondement de mon ventre, tellement j'avais la dalle.

— Nan. Je prendrai juste un peu de yoghourt, peut-être.

— Mais…

Du yoghourt ! Après une demi-journée de boulot !

J'ai sorti quelques saucisses du congélo et je les ai mises au micro-ondes. En fait, c'était comme autrefois.

Mais ça changerait sûrement quand le bébé serait né. Lui non plus ne pourrait pas vivre uniquement de yoghourt.

17

Désirée

Le samedi, nous étions invités chez Bengt-Göran et Violette pour pendre la crémaillère. Oui, j'avais bien saisi le message – c'est moi qui avais emménagé et c'est moi qui aurais dû les inviter. Mais mieux valait me montrer quelqu'un de sympa, parce que tout indiquait que j'allais avoir ces deux-là comme mes plus proches voisins pendant un bon bout de temps.

J'avais acheté un bouquet d'œillets en ville. C'est la fleur la plus hideuse que je connaisse, mais ça, ils ne pouvaient pas le savoir. C'était en quelque sorte ma protestation muette que personne ne saisirait jamais. Violette s'est extasiée sur les pauvres tiges déplumées comme si elles venaient du jardin d'Éden. De toute évidence, je n'étais pas la seule à faire des efforts.

J'avais mis un pantalon et un pull de cachemire, des vêtements simples mais jolis, et je m'étais coiffée aussi. Mais Benny eut l'air inquiet au moment de partir.

— Tu n'avais pas envisagé de te changer ? marmonna-t-il.

Comment ça, me changer, nous n'allions tout de même pas à la remise du prix Nobel ?

J'ai compris ce qu'il voulait dire en voyant Violette. Elle s'était mise sur son trente et un avec une robe-manteau mauve rehaussée de broderies d'argent et elle chancelait sur des talons aiguilles. Son maquillage avait dû prendre autant de temps qu'il m'avait fallu pour repeindre le couloir du premier étage à Rönngården. Manifestement, cette élégance n'était pas de mise tous les jours, car Bengt-Göran était particulièrement émoustillé, il lui pinçait les fesses quand elle passait avec les plats. Il ne trouvait jamais vraiment de prises, Violette est une femme qui a du muscle, il aurait tout aussi bien pu essayer de pincer un ballon de basket.

La nourriture était sublime et la conversation ennuyeuse à pleurer. Bengt-Göran et Benny ont parlé de volis et de chablis sur leurs parcelles forestières. Puis ils ont abordé la chasse à l'élan et discuté le meilleur affût avant de bifurquer sur la chasse au gibier à plume. Longuement. Ni l'un ni l'autre ne semblait envisager de nous faire entrer dans la conversation, Violette et moi.

Quand nous en étions au café et au magnifique sorbet au sherry fait maison, il y a eu un moment de silence. Violette s'est tournée vers moi et a commencé à raconter, fière comme Artaban, qu'elle vendait des produits de maquillage à domicile. J'ai subitement compris pourquoi elle était si peinturlurée, elle faisait de la pub pour son business.

— Tu sais, pareil que pour les Tupperwares ! On se procure des échantillons, puis on invite ses copines et on leur fait passer commande ! Anita faisait souvent… bon, hum. Je cherchais un petit boulot à domicile, il y en a plein, des choses qu'on peut vendre. Bengt-Göran me dit que je devrais vendre des sex-toys, hahaha !

Au mot "sex-toys", Bengt-Göran s'est figé et a jappé comme un terrier qui a flairé une piste. Il a pris le relais de la conversation et m'a demandé en rigolant lesquels étaient mes préférés. Enfin un domaine où mon opinion l'intéressait !

— Oh, les perles anales, sans hésitation ! gazouillai-je. Et tu devrais voir ma collection de godes ! Je préfère les doubles ! Et toi ? Le cockring, tu t'en sers ?

Silence. On aurait dit que Bengt-Göran s'était fait éperonner par une torpille. Et Benny m'ouvrit de grands yeux. Je lui fis un clin d'œil.

— Quelqu'un veut encore du café ? dit Violette d'une voix guillerette.

Le reste de la soirée, elle et moi avons parlé de plantes vertes. Je n'ai pas pu m'empêcher d'enfoncer le clou en insistant sur leurs longues tiges raides et soyeuses et les hampes fièrement dressées et Benny sursautait à chaque fois bien qu'il eût l'air plongé dans une discussion sur les pneus neige avec Bengt-Göran.

Ce que j'ai le plus apprécié, c'est quand Violette m'a confié qu'elle avait très envie d'apprendre à envoyer des… sms ! On croit rêver !

Benny était assez taciturne sur le chemin du retour. Il a fini par grogner :

— Alors depuis quand tu es experte en jouets sexuels, toi ?

— Depuis le soir où je me suis endormie devant la télé pour me réveiller en plein téléachat avec des offres incroyables. Tu sais très bien que je n'utilise pas ces trucs-là. Est-ce que je t'ai jamais demandé de m'attacher aux montants du lit ? Est-ce que je t'ai une seule fois enfoncé un bidule en plastique entre les fesses ? Tant que j'ai mes propres petits doigts habiles – et que je t'ai, toi – je n'ai pas besoin d'acheter par correspondance, discrétion assurée ! Mais j'ai salivé un peu devant un vibromasseur qui s'appelait Bionic Techno Master. Je l'ai imaginé suspendu au-dessus du comptoir des prêts à la bibliothèque, tu vois, comme une installation d'art contemporain.

J'ai babillé tant que j'ai pu.

Benny est resté muet, il ne semblait même pas écouter.

— Tu n'as pas été très gentille, dit-il ensuite. Tu les trouves incultes et tristes. Mais si, ne me dis pas le contraire ! Et tu as raison, ça arrive qu'ils m'ennuient, moi aussi. Mais je crois que tu finiras par réviser ton jugement, avec le temps.

J'ai eu un peu honte et j'ai essayé de changer de sujet.

— Tu leur as dit qu'on va avoir un bébé ?

— J'ai du mal. Tu comprends, ils ne peuvent pas en avoir. Parfois je me dis que c'est pour ça que Bengt-Göran est si obsédé par le sexe, il se sent obligé de faire le coq en quelque sorte. Montrer autrement qu'il est un homme.

Je me suis sentie encore plus honteuse.

suédoise. J'ai orienté la conversation là-dessus pour commencer. Mais rien, pas un mot.

Et cette histoire de jouets sexuels ! Ça m'a un peu ébranlé, et les deux autres aussi, j'en suis sûr. Parce que Bengt-Göran m'a raconté, dans le plus grand secret, que Violette et lui envisageaient de s'inscrire à un truc qui s'appelle Club Paradiso. On dirait un endroit avec solarium et longs drinks, et c'est peut-être ça aussi, mais en premier lieu c'est un établissement où on va avec sa femme pour essayer celle d'un autre. On arrive d'abord dans une sorte de grande pièce remplie de coussins, comme à la maternelle, et on joue au docteur, tous ensemble, j'ai vu un reportage photo sur ça quelque part, ça ressemblait à de la torture sexuelle dans la prison d'Abu Ghraib. Mais soit, je n'ai pas d'avis là-dessus, à condition que les gens s'y sentent bien. Le plus comique, c'est que je pense que Désirée s'est trouvée terriblement anticonformiste et radicale sur le plan sexuel en parlant comme ça. Elle part du principe que nous sommes des ploucs pudibonds, alors qu'elle a lu un tas de livres modernes bourrés de cochonneries. Si elle savait ! Et son truc avec l'anneau à pénis, je pense qu'elle n'a pas compris qu'en fait elle insinuait à Bengt-Göran qu'il était peut-être impuissant. C'est pour ça qu'il a été si stressé.

Mais là où elle a eu raison, c'est qu'on n'a jamais eu besoin de faire venir des accessoires en plastique pour notre vie sexuelle. On a de quoi faire avec notre équipement naturel. Elle n'est pas du genre qui se rase, je n'ai jamais compris les gens qui préfèrent les chattes chauves. Quelle idée de vouloir se passer d'une telle toison douillette ! Et pourquoi aurais-je envie de l'attacher aux montants du lit ? J'adore quand elle farfouille partout, un coup elle est par-ci, un coup par-là. D'accord, on a regardé un film porno ensemble une fois, mais ça nous a fait pleurer de rire. Quoique, ensuite on a fait l'amour toute la nuit, c'est vrai, le lendemain j'ai titubé comme un fantôme parmi les vaches. Eh oui, elle a les mêmes réflexes que tous les mammifères.

Toujours est-il que je pense que la solidarité entre voisins risque d'en prendre un coup. Avec Anita, c'était une autre paire de manches ! Violette a failli le dire, mais heureusement, elle s'est rattrapée à temps. Anita et Violette s'entendaient super bien. Elles n'arrêtaient pas de se prêter des trucs, et Anita ramenait des tonnes de cette peinture qu'elle vend, Violette. Elles échangeaient des recettes de cuisine et ramassaient des airelles ensemble et une fois elles sont allées voir du striptease masculin en ville, elles sont rentrées complètement pétées. Quand j'y pense, je me demande si je n'aurais pas pu me retrouver, moi aussi, dans la salle à coussins du Club Paradiso, si Anita était restée… avec Bengt-Göran batifolant à mes côtés… Stop, rideau !

En tout cas, Violette a été vraiment sympa d'accueillir la Crevette sans façons et sans la regarder de travers. Parce que je sais qu'Anita s'est trouvée dans sa cuisine plus d'une fois, le mascara coulant sur les joues, racontant quel salaud j'étais. Et elle a très certainement exposé le rôle de la Crevette dans

19

Désirée

Quand j'étais à cinq mois de grossesse, le printemps
a commencé à se montrer et Rönngården reprenait
vie. Chaque soir quand j'arrivais dans la cour au
volant de ma Volvo, il y avait de nouvelles choses à
découvrir. Des objets avaient surgi de la neige fon-
due. Une fleur avait éclos. Benny avait construit ou
peint ou bricolé quelque chose et attendait ma réac-
tion comme un gamin.

C'était merveilleux. J'avais toujours vécu en
ville, je ne savais pas que chaque saison avait sa
propre odeur particulière, ou que le ciel pouvait
varier autant.

Je n'avais jamais entendu le cri du courlis cendré. Si sur mon lit de mort on m'accordait un vœu,
ce serait d'écouter le courlis cendré un soir de printemps. Dans son cri, il y a tout. L'espoir, la nostalgie et le printemps. Et l'éternité.

Tout ce qui apparaissait quand la neige avait
fondu ne me rendait cependant pas aussi lyrique. La
cour était en grande partie jonchée de ce que Benny
n'avait pas eu le temps d'apporter à la déchette-
rie – de vieux pneus, des seaux rouillés, des pièces
détachées de machines et du bois pourri. Je pense

qu'il ne le voyait même plus, il aurait sans doute eu l'impression qu'il manquait quelque chose si une bonne âme se chargeait de tout enlever. Nom d'une pipe, où est passé… ?

Puis il y avait le jardin d'Anita.

Ça doit être vraiment terrible de planter des buissons à baies, des arbres, des boutures et des bulbes et de subitement se rendre compte que quelqu'un d'autre va cueillir les baies et les fruits et jouir des fleurs.

Si j'étais elle, je serais probablement venue en catimini une des dernières nuits noires avant le printemps pour inonder tout ça d'essence et y mettre le feu. Puis j'aurais dansé comme une folle autour du brasier, les cheveux au vent et en plantant des aiguilles dans une poupée vaudou à mon image.

Et ça lui faisait une belle jambe à Anita que je m'imaginais la comprendre. Si elle avait entendu ça, elle aurait sans doute eu envie de m'asperger d'essence aussi.

Un jour, j'ai emmené Märta à la ferme. Au pire de la crise après la rupture avec Benny il y a plus d'un an, c'est elle qui m'avait aidée à survivre et j'avais fait la même chose pour elle quand Robertino avait transformé sa vie en enfer.

Une des raisons pour lesquelles elle n'était pas encore venue à Rönngården, c'était mon incapacité à affronter le grand traumatisme : j'étais enceinte alors que Märta s'était fait faire une ligature des trompes, et elle avait autant envie d'avoir un bébé que moi.

L'autre raison était qu'elle avait accompagné Magnus, son dernier grand amour en date, dans un camp d'entraînement en vue des Jeux paralympiques. Magnus était en fauteuil roulant, et il était devenu plus combatif qu'un coq espagnol – le bronze n'était pas suffisamment bien, il visait un nouveau record olympique. Elle ne pouvait s'en prendre qu'à elle-même, elle n'avait pas mis un an pour transformer un homme passif et s'apitoyant sur son sort en ce prodige sportif. C'était elle qui lui avait inculqué que rien n'était impossible et il était trop tard maintenant pour revenir en arrière.

— Tu te rends compte… soupira-t-elle. Avant on restait allongés sur son canapé pendant des heures à se faire des câlins. Ses patoches n'avaient rien, ce qu'on n'a pas dans les jambes, il faut l'avoir au bout des doigts disait-il ! Et on se disait que j'avais réussi à le réveiller… eh bien, merde ! On aurait mieux fait de rester sur son canapé ! Ça me faisait du bien ! Désormais, je ne le vois que quand je lui fais prendre sa douche après l'entraînement, et il est plus câlin avec ses haltères qu'avec moi !

Elle ne voulait pas vraiment dire ça, en réalité elle était super fière de ce qu'elle avait fait de lui. Nous étions en voiture en train de parcourir les trente kilomètres jusqu'à la ferme. Elle a tourné les yeux vers moi.

— Tu m'as l'air bien crevée, espèce d'épouvantail en cloque ! dit-elle aimablement.

Je n'ai pas su quoi répondre et elle m'a examinée attentivement.

— Tu crois vraiment que je suis jalouse de toi parce que tu vas avoir un bébé ? Dont je serai peut-être la marraine ?

Comme d'habitude, elle n'a pas tourné autour du pot. C'était rassurant.

— Et si mes souvenirs sont exacts, c'est bien moi qui ai soutenu ton pedzouille au début, quand tu pleurais parce que vous étiez trop différents ? Tu peux au moins mettre ça à mon crédit et m'offrir le gîte et le couvert chez vous à l'automne de ma vie… quand Magnus aura décidé de faire le tour du monde à la voile en solitaire et ensuite de s'attaquer à l'ascension de l'Everest. Je pourrais déambuler en tenant la main de vos petits-enfants et leur raconter tes coups d'éclat, et des histoires de fantômes qui vont semer la panique dans leur âme pendant des années. C'est à ça que ça sert, les marraines !

Je lui ai parlé de ma mauvaise conscience vis-à-vis d'Anita, que j'aurais sûrement à payer un jour. Ça ne m'étonnerait pas si, pour me donner bonne figure, j'ai pris un ton humble, ou suffisant plus exactement, parce qu'elle m'a tout de suite interrompue.

— Mais bien sûr que tu vas le payer ! *There is no such thing as a free lunch* – ça n'existe pas, les repas à l'œil ! Ta mauvaise conscience va t'imposer de soigner le pedzouille aux petits oignons avec des trucs que cette Anita aurait faits bien mieux que toi, parce que tu as l'impression de l'en avoir privé. Mais en plus, tu dois t'efforcer d'être la femme dont il est tombé amoureux, celle qu'il a préférée à la Fée du Logis. Mamma mia, ce que tu vas avoir à trimer ! Je ne voudrais pas être à ta place. Si, pour ce qui est du ventre. Et tu vivras avec ! Maintenant on parle d'autre chose.

À six heures et quart elle a mis pied à terre dans la cour au moment où Benny sortait de l'étable. À six heures et demie, ils étaient tombés amoureux l'un de l'autre, aussi amoureux qu'on peut l'être sans que le sexe soit mêlé à l'histoire. Comme un frère et une sœur adoptifs ou quelque chose comme ça. Et j'ai poussé un soupir de soulagement.

20

Benny

À un moment, ça a vraiment failli foirer. En fait, c'était la faute à l'UE.

Il y avait ce foutu formulaire que j'avais mal rempli, si bien que j'avais reçu beaucoup plus de subventions que ce à quoi j'avais droit, apparemment. Sauf qu'il y a peut-être un tas d'autres formulaires que j'ai tout aussi mal remplis mais dans l'autre sens et qui m'ont fait perdre des sous ? Personne n'a rien trouvé à redire à ça !

J'ai reçu des lettres au ton de plus en plus menaçant, et je ne savais pas vers qui me tourner pour obtenir de l'aide et je n'avais pas le temps non plus, d'ailleurs, je venais juste de commencer les labours de printemps. Avec le recul, j'ai compris que je ruminais cette histoire bien plus que je ne m'en rendais compte. Car un soir Désirée a dit, d'une petite voix sèche :

— Un appartement à louer, ça se trouve !

— Pour qui ? ai-je dit, tout surpris.

— Pour moi, évidemment. Parce que de toute évidence, tu regrettes tout ça !

— C'est quoi, ce délire, Désirée ?

Je me suis réveillé de mes ruminations et je l'ai dévisagée.

On était à table, on venait de manger du poisson pané avec de la purée mousseline. Désirée sait cuisiner, du moins elle peut se lâcher avec des soupes françaises compliquées, mais ces temps-ci elle était tellement fatiguée quand elle rentrait le soir après son trajet en voiture, le ventre coincé contre le volant, il n'y avait rien à dire là-dessus. Subitement, j'ai vu qu'elle avait déchiqueté un Bic en tout petits bouts, ses doigts étaient tout bleus. Elle gardait les yeux rivés sur la nappe cirée.

— Benny, tu crois que je ne remarque rien, c'est ça ? Ça fait deux semaines maintenant que tu ne me parles pratiquement pas, tu restes éveillé la nuit à fixer le plafond, tu ne me regardes même pas quand on est à table. Tu te dis que si Anita était encore là, tu aurais mangé des *isterband* tous les soirs ! Et maintenant c'est les labours de printemps et je ne sais pas *conduire le tracteur*, même si mon ventre ne prenait pas toute la pla-ha-ha-ha-ce !

Et elle s'est mise à pleurer.

J'ai été tout chose. Une femme en larmes dans ma cuisine, et apparemment c'était ma faute ! Je pense que les hommes ont quelque chose dans leur ADN, lié au chromosome mâle, qui les transforme en petits chiens dociles quand les femmes pleurent. On n'a plus qu'une seule envie, ramper dans la poussière et lécher des pieds, ou rouler sur le dos et exhiber la gorge. Et je n'avais aucune immunité contre ça, maman ne pleurait jamais devant moi et Anita non plus. Sauf vers la fin.

Je me suis précipité à ses côtés. Elle pleurait et sanglotait de plus belle. Je l'ai prise dans mes bras et elle s'est laissée aller et on s'est agrippés l'un à l'autre, sauf que le ventre faisait barrage, ce n'était pas très confortable comme ça, au-dessus des assiettes avec la purée mousseline en train de refroidir.

— Mais ma petite Crevette, comment est-ce que tu peux aller imaginer un truc aussi insensé ? Que je ne te voudrais plus à la ferme ? Alors que j'ai presque des nausées le matin moi aussi, quand je me réveille et te regarde, qui dors à côté de moi et quand je me dis que j'ai failli te perdre. Nom d'une pipe, malheureuse, tu crois quand même pas que je t'ai engagée pour être une remplaçante. Je… je…

— Ne m'appelle pas malheureuse, a-t-elle reniflé, mais elle a paru un peu calmée.

— C'est ce putain de formulaire de l'UE ! ai-je gueulé. Ils menacent de me traîner devant les tribunaux ! Ça veut dire quoi ça, putain, me traîner devant les tribunaux ? C'est à croire qu'ils ont l'intention de me mettre un anneau dans les naseaux et me conduire au bout d'une corde !

Elle s'est tout de suite redressée sur sa chaise, tout étonnée.

— Formulaire de l'UE ? Les tribunaux ? a-t-elle dit. Ohé ! Tu sors tout ce que tu as comme papiers, tout de suite. Personne ne traînera mon homme devant les tribunaux ! Va me chercher ça ! Rien ne vaut une petite bagarre rafraîchissante avec l'administration pour faire valser l'adrénaline !

Elle avait retrouvé ses esprits en un temps record. Un peu penaud, je suis allé sortir de mon secrétaire débordant de papiers tout ce que j'ai pu trouver concernant l'affaire. Désirée s'est penchée dessus en marmonnant pendant près d'une heure et ensuite elle a seulement dit :

— Je m'en occupe demain. Je pense savoir quel angle d'attaque adopter ! Ce Lundberg, tu ne crois pas ?

Je ne croyais rien du tout. Je n'avais même pas remarqué de Lundberg en particulier, je pense que je m'étais borné à y jeter un coup d'œil apeuré.

— Tu fais partie des gens qui appellent toutes les autorités *Ils* et qui les prennent pour des tout-puissants ! a déclaré Désirée. Ils ne le sont pas ! On ne doit jamais se rendre sans lutter ! Gardez-vous bien d'éveiller la colère de la grande Mère, mesdames et messieurs !

Puis elle m'a regardé, stupéfaite.

— Je ne sais pas ce qui m'arrive. En réalité, je ne suis pas du tout comme ça ! J'ai l'impression que je développe des instincts de protection ! Et il y en a pour toi aussi !

Trois semaines plus tard elle est venue triomphalement me montrer une lettre qui signifiait qu'elle les avait mis ko d'une façon ou d'une autre. Il y avait beaucoup de *Eu égard à*, *En regard de* et *Attendu que*. Et décidé de ne pas porter l'affaire devant les tribunaux. Mais ce ne serait pas gratuit, évidemment.

Ce soir-là dans l'étable, j'ai chanté à tue-tête.

21

Désirée

Vers le mois d'avril, j'ai demandé à Benny où nous irions pour les vacances. Nous étions encore dans la cuisine, nous venions de prendre le petit-déjeuner. J'avais posé quelques catalogues sur la table.

— Les vacances ? dit Benny en ouvrant de grands yeux.

— Oui. Il faudra sans doute les prendre assez tôt cette année, le bébé va naître en août et on ne m'autorisera probablement pas à prendre l'avion le dernier mois.

— L'avion ? dit Benny, les yeux comme des soucoupes.

— Tu peux bien demander à Bengt-Göran de s'occuper des vaches pendant une semaine, non ?

— Bengt-Göran ?

— Mais bon sang Benny, arrête de répéter tout ce que je dis ! Tu ne crois pas que Bengt-Göran serait d'accord pour te donner un coup de main ?

Benny avait l'air bizarre. Après coup, je me suis dit qu'il se sentait probablement comme le médecin qui doit annoncer à son patient qu'il est atteint d'une maladie mortelle.

— Bengt-Göran m'aide chaque été depuis qu'il a lui-même abandonné la production de lait… commença-t-il.

— Bien ! Qu'est-ce que tu dis de la Crète, j'y suis déjà allée, j'aimerais bien te montrer…

Benny se racla la gorge.

— Désirée ?

— Oui ?

— Tu sais ce que mangent les vaches ?

— Les vaches mangent de l'herbe, Benny ! De l'herbe sèche et l'autre herbe, toute gluante, pour varier le plaisir. Et aussi les petits granules que tu leur apportes avec la brouette. Je me trompe ?

— Tu ne te trompes pas. Les vaches mangent du foin et de l'ensilage et des concentrés. Les concentrés, ça s'achète tout au long de l'année. Et l'herbe, quand est-ce qu'elle pousse, Désirée ?

— L'herbe commence à pousser au printemps et ensuite elle pousse pendant tout l'été. Tu essaies de me dire quelque chose, c'est ça ?

— Encore une fois, tu ne te trompes pas, Désirée. L'herbe pousse pendant tout l'été et j'essaie de te dire quelque chose : *C'est à ce moment-là qu'on doit la faucher !* Et la sécher et la mettre en balles et la stocker dans la grange ou alors l'ensiler pour en avoir pendant l'hiver ! Sinon les vaches *meurent*, Désirée. Et tout ça, c'est un boulot fou, crois-moi, et pendant ce temps on doit s'occuper d'elles comme d'habitude et les traire et tout ça. C'est pour ça que Bengt-Göran m'aide, parce qu'on doit être *deux* pour en venir à bout, ou plus, c'est encore mieux. Tu comprends ce que je dis, Désirée ?

— Mais en été les vaches sont dehors dans les prés ? murmurai-je. Il y a une loi qui l'impose, non ?

— Oui, en effet. Mais elles n'arrêtent pas pour autant la production de lait toutes en même temps, il faut les traire quand même. Et comme il faudrait près de deux jours pour traire toutes mes vaches à la main, on ne se donne pas la peine d'aller sur le terrain avec des seaux et de petits tabourets à trois pieds, et on n'a pas non plus des journalières pour nous aider dans cette ferme. Si bien qu'on fait rentrer toute la bande de vaches dans l'étable deux fois par jour et on les trait avec une machine. Et ça aussi, c'est beaucoup de boulot, Désirée. Surtout quand on est en pleine fenaison !

Jusque-là j'avais joué le jeu et fait semblant d'être une citadine bouchée. À présent je commençais à comprendre que c'était exactement ce que j'étais.

— Tu essaies de me dire, Benny, que plus jamais je ne partirai en vacances ?

Il sourit.

— Parfois j'ai besoin d'acheter de nouvelles machines ou des pièces détachées chez le concessionnaire à Norrbyn, les Frères Nilsson, tu sais. Tu pourras m'accompagner. Des fois il y a même des réunions de la Fédération dans le village. En général les épouses sont autorisées à venir s'occuper du café. Je crains que je ne puisse offrir beaucoup plus. Tu es déçue maintenant ?

Je n'ai pas répondu.

— C'était une blague, Désirée, une blague méchante. Je pense qu'on pourra prendre de courtes vacances. Mais ça ne sera qu'après les labours d'automne. En octobre peut-être.

— Youpi, en pleine fiesta sur les plages ! Je suis sûre que le bébé va apprécier, il aura à peu près trois mois !

— C'est comme ça, pas autrement, Désirée. Des vacances courtes tant qu'on aura la production de lait. À moins qu'ils augmentent subitement le prix au litre, et qu'on puisse se payer un remplaçant ! Mais je suppose que je ne vais pas continuer éternellement…

— Je nous vois crapahuter à Copacabana dans trente ans, avec nos déambulateurs.

— Je ne m'inquiéterais pas si j'étais toi. Le risque d'accidents est élevé dans l'agriculture, et il me manque déjà deux doigts. Avant d'avoir eu le temps de dire ouf, tu seras une veuve aisée. Avec toute la forêt que j'ai plantée !

Je ne dis rien pendant un moment.

— Tu as entendu, Benny ? Je n'ai pas ri.

— La Crète en avril l'année prochaine ? dit Benny. On pourra laisser le bébé à Bengt-Göran !

22

Benny

Je savais que je serais obligé de la décevoir encore et encore. Merde, elle finirait par se tourner vers une association de consommateurs pour me dénoncer ! Pour tout ce qui était écrit en tout petits caractères dans le contrat et dont je n'avais jamais parlé, et parce que la semaine pour se rétracter n'était pas prévue !

Je trouvais que j'étais un Partenaire Bon et Compréhensif qui ne s'attendait pas du tout à ce qu'elle participe au travail de la ferme. Il y a des paysans qui ont à peu près la même vision de leur femme que les vieux propriétaires terriens avaient des journalières – d'accord pour qu'elles se retirent dans un sillon pour accoucher pendant la récolte des pommes de terre, puis elles n'ont qu'à envelopper le mioche d'un chiffon et continuer avec les patates. Je me demande d'ailleurs si les élus modernes de nos régions n'ont pas à peu près la même opinion, vu qu'ils mettent les mamans à la porte des maternités au bout d'un jour ou deux. Allez, debout sur vos guiboles, et que ça saute !

Ce qui l'a le plus déçue, c'est probablement que j'aie été obligé de la laisser en plein accouchement.

Elle a dépassé le terme de presque deux semaines, alors qu'on avait planifié pour que je me dégage du temps et puisse participer, mais pour finir Bengt-Göran a dû accompagner Violette à Majorque. Autrement elle se serait à coup sûr fait draguer par un loup des plages avec chaîne en or et tapis de boucles sur la poitrine, pensait-il.

Je suis arrivé dans la cuisine un soir vers neuf heures et je l'ai trouvée assise sur une chaise à regarder avec horreur une flaque par terre.

— Ah, la poche des eaux s'est rompue ? ai-je dit. Tu as des contractions ? À quelle fréquence ?

— Cinq minutes entre chaque.

— Bien, il est temps alors d'aller à la maternité. Tant mieux, je viens juste de terminer dans l'étable !

Elle s'est efforcée de hocher la tête et a fait des grimaces pendant un petit instant. Une contraction.

— Comment tu sais tout ça sur les accouchements ? a-t-elle geint ensuite. Tu n'es jamais venu aux séances, tu n'as même pas lu une seule ligne du livre que j'ai posé sur ta table de nuit !

Effectivement, je l'avais vue me jeter un petit regard irrité tous les soirs au moment où j'éteignais la lumière. Mais les labours d'automne, c'est *tuant*.

— Je n'arrête pas d'aider des veaux à venir au monde ! Je sais tout ! Si le veau est coincé, on pose des lacs autour des pattes avant et on l'extrait avec des tractions croisées !

Elle a eu l'air assez sonnée quand elle s'est levée pour aller se changer et chercher sa petite valise. Le trajet pour la maternité s'est effectué en silence.

Désirée avait appris à respirer comme il faut pendant les contractions, ce que j'ai trouvé une excellente chose. Les vaches aussi font ça.

Mais elle était primipare, et elles prennent leur temps en général. Les génisses. À cinq heures du matin elle était épuisée et moi de plus en plus nerveux. Il y avait l'étable, je ne pouvais pas juste la laisser en plan, Bengt-Göran était parti en vacances et j'avais interrompu le service des remplaçants l'année d'avant, ça revenait trop cher. Mais j'avais pris mes précautions en cas d'urgence, une nana du village qui était prête à intervenir s'il fallait. Je l'ai appelée. Elle était partie à un festival de musique, elle croyait que l'accouchement avait déjà eu lieu.

Quelques heures se sont écoulées. Les vaches devaient être sur le point d'éclater, je le savais. J'ai été obligé d'abandonner Désirée en sueur sur la table de travail, son ventre était tendu comme un tambour et elle serrait convulsivement les poignées de maintien. Elle a gémi "Vas-y, pars !" entre les dents, mais le regard qu'elle m'a lancé m'a poursuivi pendant longtemps. La sage-femme m'a rembarré : "Eh oui, il y a beaucoup de papas qui trouvent ça désagréable à voir ! Les femmes n'ont pas trop le choix, elles !"

Voilà pourquoi c'est Märta, et pas moi, qui a vu mon fils naître. Désirée l'a appelée et elle s'est jetée dans un taxi.

Vers trois heures de l'après-midi, Märta m'a appelé de la maternité. Je venais d'avoir un fils, grand et gros et plissé comme un Shar-Pei ! J'ai pleuré et lancé ma casquette de forestier en l'air, elle a atterri en haut du

silo. Mais je n'ai pu y aller qu'à neuf heures du soir.
On s'est installés dans la salle à manger de la maternité, il fallait qu'on chuchote. Elle était assise sur un
boudin gonflé, à côté il y avait la boîte avec le petit
chiot Shar-Pei. Il… oh, il était si beau ! J'ai eu envie
de pleurer encore et j'ai essayé de prendre Désirée
dans mes bras, mais elle a baissé les yeux.

— Je *sais* que ce n'est pas ta faute ! a-t-elle dit.
Mais tu aurais dû être là. Et quand tous les papas
sont venus en visite après, toutes les mamans avaient
des océans de fleurs sur leur table de chevet ! Et moi,
j'étais là seule avec Arvid, je me suis sentie comme
une pécheresse avec un enfant illégitime, que tout
le monde méprisait autrefois.

Subitement, j'ai compris que l'heure était venue
de dire un truc qui me trottait dans la tête depuis
un moment.

— Tu veux qu'on se marie, Désirée ?

Elle a reniflé d'exaspération.

— Ce n'est pas ce que je voulais dire. De nos
jours, personne…

— Je sais. Je te propose seulement de partager
mes dettes pour le meilleur et pour le pire !

— Tu es sûr que tu as le temps ? a-t-elle dit, sus-
picieuse.

— On fera ça après les labours d'automne, à la
place des vacances. Aucun problème, la chemise
blanche, j'en ai une dans ma garde-robe !

23

Désirée

Une fois que Benny eut développé ses idées sur le déroulement de nos noces, je n'avais plus qu'une seule pensée en tête : comment pouvais-je envisager de faire ma vie avec un homme pareil ?

Il aimerait réserver une table côté fenêtres à l'hôtel Scandic (avec vue sur le parking), au menu il y aurait des côtes de porc fumées avec des pommes de terre sautées et de la glace à la vanille en dessert. Puis du café avec des tartelettes à la pâte d'amande. Ils avaient une offre spéciale si on prenait le repas de mariage entre quinze et dix-sept heures. Avec Bengt-Göran et Violette comme invités, et Märta. Le soir, nous pourrions aller au cinéma, par exemple.

— J'imagine que ton père ne voudra pas venir et ma famille… eh bien il n'y a qu'Anita et son frère…

Il a pris son air crétin.

— Mais si, mon père aura sûrement envie de venir ! dis-je. Vieux commandant qu'il est. Pour commencer, il veillera à ce que ses rustauds te filent une raclée pour m'avoir séduite. Ensuite il exigera un mariage à l'église avec un hommage rendu par la FNA sur le parvis avant d'entrer. De jeunes paysans qui formeront une haie d'honneur avec des fourches à foin.

Benny m'a jeté un regard incertain. Il n'avait toujours pas rencontré papa et j'avais le sentiment qu'il ne se réjouissait pas à l'idée de le faire.

Mais avant que nous n'ayons eu le temps de décider quoi que ce soit, Märta a pris les choses en mains. Et tant mieux, parce que je n'étais plus qu'une épave. Je passais mon temps au lit à allaiter mon petit Shar-Pei. Comme il avait faim vingt-quatre heures sur vingt-quatre, j'avais pris l'habitude de le prendre avec moi quand il se mettait à hurler vers les deux heures du matin, de le serrer sur mon sein prêt à éclater et de me rendormir. Et il avait l'air si content. Il y avait un inconvénient : je dormais toujours sur le même côté et ça me donnait un gros sein et un plus petit, c'était complètement grotesque.

— Pourquoi est-ce que je pense tout le temps à Laurel et Hardy ? pouffa Benny. Tu es sûr que tu ne vas pas l'écraser ?

— Ce sont les *truies* qui écrasent leurs porcelets, Benny ! Les truies ! La recherche moderne a prouvé que les femmes d'autrefois qui affirmaient que les enfants étaient morts dans leur lit par accident les avaient en réalité étouffés sciemment. C'était avant l'époque de la pilule.

— Barre le 15 octobre et trouve quelqu'un pour s'occuper des vaches le soir et le lendemain matin, dit Märta. Pas Bengt-Göran !

Benny a sans doute fait ce qu'elle disait. Pour ma part j'avais presque oublié toute l'histoire lorsque

Märta est venue me voir un soir peu avant cette date. Elle m'a jeté un regard critique.

— Heureusement que je t'ai trouvé une robe de mariage qui se boutonne sur le devant ! dit-elle seulement. J'aurais simplement à la reprendre sur un côté de la poitrine. Tu sais que tu es totalement de travers ?

— Je n'ai pas la force de mener à bien un mariage, murmurai-je.

— Ferme-la et contente-toi d'avoir l'air mignonne, sourit Märta. On s'est occupés de tout, Benny et moi.

— Pas des tartelettes à la pâte d'amande… bafouillai-je avant de m'endormir sur le canapé.

Mais ils s'en étaient réellement occupés.

Au matin du 15, Märta est arrivée à la ferme et elle a pris dans ses bras Arvid que je venais de nourrir. Il a tout de suite vomi sur son joli gilet, mais ça l'a juste fait rire.

— Allez hop, sous la douche, Désirée ! N'oublie pas le shampooing !

Puis elle a coupé mes cheveux qui n'avaient pas vu une paire de ciseaux depuis six mois et avec le séchoir elle a sculpté une coiffure floue et vaporeuse. Märta est une sorte de génie universel, elle sait venir à bout de n'importe quoi. Elle m'a fait entrer dans une robe longue en soie jaune boutonnée sur le devant qu'elle avait trouvée chez les Fourmis.

En levant les yeux, j'ai vu Benny à la porte avec un grand bouquet de phlox d'automne mauves à la main. Sa chemise était blanche et il avait une cravate.

— C'est-à-dire, je n'ai pas trouvé de roses…
marmonna-t-il.

Eh bien, je devais sans doute m'estimer heureuse qu'il ne m'offre pas un bouquet de poireaux. Il y en avait plein le potager. Des brocolis aussi.

Nous sommes allés en ville avec la Subaru. Benny avait étalé une couverture sur les taches de fuel.

Dans la salle des mariages de la mairie une surprise de taille m'attendait, c'est le moins qu'on puisse dire. Quand nous sommes entrés, un commandant en casquette et avec toutes ses décorations épinglées sur la poitrine s'est levé. Papa ! Märta avait trouvé son numéro de téléphone et l'avait invité – et il était venu ! Nous nous sommes dévisagés.

— Et on se dit gentiment bonjour ! ordonna Märta.

Nous nous sommes fait la bise, gênés et raides.

— Le cadeau ! aboya Märta, et le commandant tendit un paquet bleu avec des rubans jaunes.

— Tu aurais fait un sergent convenable ! dit-il à Märta. Il savait reconnaître le talent quand il le voyait.

Bengt-Göran et Violette étaient là, et Magnus, il avait l'air bronzé et musclé dans son fauteuil roulant.

Puis on nous a mariés. Ça a pris deux minutes.

Après, la fête a eu lieu dans le salon de Märta. Elle l'avait décoré avec des guirlandes de fleurs en tissu et de gros cœurs roses en plastique et des paillettes partout. C'était son trip du moment. Magnus a joué de l'accordéon, il l'avait acheté pour renforcer ses biceps d'une façon sympa et culturelle, si j'ai tout bien compris.

Comme d'habitude, Violette avait cuisiné des plats divins. Elle et Märta ont passé une grande partie de la soirée à parler maquillage et elles ont été pompettes ensemble. Le commandant et Magnus ont échangé leurs expériences de musculation sous une discipline stricte. Bengt-Göran et Benny ont parlé chasse au gibier à plume.

Et moi, j'étais vautrée dans le gros fauteuil de Märta avec mon petit Shar-Pei, plus heureuse que jamais.

TROISIÈME ANNÉE

Pluies éparses

24

Benny

Arvid est né en août. On s'est mariés en octobre et Désirée ne s'était pas encore glissée de mon côté du lit une seule fois. Par moments, quand elle bougeait, j'arrêtais presque de respirer et attendais qu'elle le fasse, mais pour finir elle se penchait toujours pour prendre Arvid et le serrer sur son sein. Même pendant notre nuit de noce, il n'y a rien eu, seulement un bisou sur la joue. On aurait tout aussi bien pu aller au cinéma.

Elle a évidemment profité de ses congés maternité aussi longtemps qu'elle a pu, pour moi un congé paternité était hors de question, même Désirée l'avait compris. Un matin quand je revenais de l'étable, elle avait préparé un énorme petit-déjeuner anglais avec des œufs au bacon et des *beans*, du pain grillé et de la marmelade, tout ce qu'il fallait. Elle-même a tranquillement grignoté une feuille de salade, elle voulait retrouver sa silhouette, mais moi, j'ai fait honneur à son breakfast !

Ensuite, c'est devenu une habitude, un solide buffet de petit-déjeuner le week-end et des plats chauds pour le petit déj' en semaine. Et à midi et pour le dîner. Ma combinaison a commencé à me brider et j'ai eu l'impression de vivre au paradis ! Maman était plus du genre porridge et café réchauffé.

La *Feuille du Sorbier* sortait régulièrement tous les vendredis, c'était un moment solennel. Elle photographiait Arvid sous tous les angles possibles, elle me prenait en photo en douce dans l'étable, puis elle rédigeait des commentaires rigolos. Elle achetait quelques bonnes bières pour moi et préparait des petits plats sympas pour ces soirées, la plupart du temps des trucs dont je n'arrivais pas à prononcer le nom.

Énergique comme elle l'était, elle s'est attaquée à un tas d'autres choses aussi qui ne l'avaient jamais intéressée avant. Elle cueillait des airelles – mais ça aurait été trop simple de juste faire de la confiture, elle a préparé un truc bizarroïde qui s'appelait du *lingonchutney*, on aurait dit du sirop contre la toux. Elle faisait des tartes aux myrtilles et aux cassis du potager, qui étaient pas mal mais acides en diable parce que trop de sucre, c'est mauvais pour la santé. Elle a appris à découper la viande et la conditionner, et elle a commandé des graines pour un petit jardin d'herbes aromatiques. Elle lisait la première partie du *Pays* comme si c'était la Bible et elle a même envisagé de se mettre à tricoter des moufles en jacquard.

Je l'ai félicitée en disant que je ne comprenais pas comment elle arrivait à tout faire, elle qui n'avait jamais appris ces choses-là chez elle.

— Tiens, ça confirme que vous avez ça dans le sang, ai-je rigolé. Il vous suffit d'avoir un bébé, et vous vous mettez tout de suite à préparer des petits pains à la cannelle et à faire des broderies !

Là, je prenais un risque, j'en étais bien conscient. Elle m'a regardé de travers, elle n'a sans doute pas compris que c'était une blague. Mais à vrai dire, je croyais un peu ce que je disais, pour ma part je n'ai jamais ressenti d'appel irrésistible à me mettre à tricoter des moufles !

— Déchiffrer un livre de cuisine, ce n'est pas hors de portée d'une personne qui sait lire, tu ne crois pas ? a-t-elle dit. Même toi, tu devrais comprendre que quand on n'est pas valorisé par le monde extérieur, on a au moins envie de montrer ce qu'on vaut chez soi. Ma tête à couper que quand tu as tracé des sillons bien droits et aligné toutes les balles de foin au cordeau, tu ressens exactement la même satisfaction que moi quand je repasse des rideaux et que je mets les petits pains au congélateur ! On a accompli un travail et on veut qu'il soit visible !

Elle s'est arrêtée pour reprendre son souffle avant de poursuivre :

— Je me repose dans la répartition traditionnelle entre les sexes. C'est terriblement tentant. Toi, tu fais tous les boulots lourds et sales, puis tu rentres, je te sers et je te bichonne et chacun trouve que l'autre est vraiment fort. Et pour l'instant, Arvid ne moufte pas, il reste là où je le couche, et je n'ai pas besoin d'aller travailler en ville ! Tu t'en rends compte au moins, qu'on vit dans le paradis des fous ? Jusqu'à cet été, s'entend*. Après, ça sera la fin des haricots.

Bien sûr, on savait tous les deux qu'elle serait obligée de travailler à plein temps pour qu'on s'en sorte. L'équilibre financier de la ferme était fragile, le remboursement de la subvention de l'UE bouffait tout ce qui aurait été un bonus. On refoulait le problème. Mais quand Arvid a commencé à parcourir la maison à quatre pattes, les buffets se sont tout de suite faits moins somptueux.

Il n'y avait qu'un petit nuage dans notre ciel, un petit cirrus vaporeux qui n'allait pas tarder à disparaître, me disais-je. À moins qu'il ne laisse présager un front froid…

On n'avait pratiquement pas fait l'amour depuis avant la naissance d'Arvid. Pas pour de vrai. D'accord, on s'était livrés à un peu de câlineries dictées par le devoir, un peu comme lorsque Anita s'y prêtait. Je ne sais pas à qui la faute – parfois je pense que c'était parce que sa chemise de nuit était imbibée de lait ! Pas très sexy ! Ces soirs-là, elle devenait la Mère pour moi et j'aurais eu l'impression de commettre un inceste si j'avais insisté. D'autres soirs, quand elle sentait que j'avais vraiment envie, elle se laissait tout juste faire, sans plus, pas de chevauchées enthousiastes avec cris et gémissements, et je n'arrivais pas à l'exciter.

---

* En Suède, le congé maternité / paternité après la naissance d'un bébé est d'un an, à prendre indifféremment par la mère ou le père, ou en alternance.

Parfois c'était Arvid. J'en mets ma main au feu qu'il travaillait activement à ne pas avoir de petit frère ou petite sœur, comme une sorte de prévention. On aurait dit qu'il sentait quand l'un de nous essayait de se glisser de l'autre côté du lit. Alors il ouvrait sa petite bouche et se mettait à hurler ! Et immédiatement, Désirée le faisait téter et ils s'endormaient tous les deux. Et je restais là à m'apitoyer sur mon sort tout seul. Les buffets, c'est bien beau, mais…

25

Désirée

C'était comme une expédition dans un monde inconnu. J'ai fraternisé avec les indigènes pour apprendre leur culture, leurs us et coutumes. Je me suis immergée dans le petit village à la campagne. J'ai essayé de m'intégrer. Non, en réalité je n'ai absolument pas eu l'impression d'être meilleure qu'eux – les derniers restes de ce genre d'idées s'étaient envolés au dîner chez Violette et Bengt-Göran. C'était exactement le contraire !

Je me suis sentie inférieure. La plupart des femmes que je rencontrais au village connaissaient des choses dont j'ignorais jusqu'au nom. Jours Venise et coutil ? Tricotin et quenelles de brochet ? Elles avaient mille astuces sur les soins pour bébés. Si j'arrivais à la gym avec un Arvid hurlant dans le landau, quelqu'un le prenait simplement dans ses bras et il se calmait en moins de deux. Elles cousaient des boutons et brodaient des boutonnières, elles posaient des fermetures Éclair et retaillaient des vêtements. Elles se faisaient une couleur à la maison et coupaient les cheveux de leur homme et de leurs enfants, elles échangeaient des boutures et des bulbes et leurs plates-bandes étaient de véritables petites jardineries. Tout en travaillant à mi-temps en ville, en tout cas la plupart. (La plupart des femmes, je veux dire – les hommes travaillaient soit à temps complet, soit étaient au chômage. Parfois les deux à la fois, s'ils étaient dans le bâtiment…)

Et le soir, les femmes chantaient dans des chorales et faisaient de la céramique et du yoga, elles n'arrêtaient pas. C'est-à-dire si elles arrivaient à se libérer, si leur bonhomme n'était pas à la chasse ou au bowling avec ses potes ou à un match de hockey.

Les hommes et les femmes vivaient des vies totalement différentes, ils n'avaient pas beaucoup d'activités en commun. C'était quasiment inimaginable que des femmes aillent boire une bière ou regardent du hockey pendant que les hommes faisaient faire les devoirs d'anglais au petit dernier et mettaient en route une machine de lessive. Les hommes, il fallait les traîner de force aux répétitions de la chorale pour qu'il y ait au moins une ou deux voix de basse, et dans les jardins, on ne les voyait que lorsqu'il fallait porter des pierres pour la rocaille.

Les femmes n'auraient jamais l'idée de prendre le scooter de neige par une belle journée de dimanche en hiver et partir faire vroum-vroum et soulever des cascades de neige uniquement pour le plaisir. Mais elles pouvaient préparer un panier de pique-nique et venir, les mômes sur les genoux.

Des vies cloisonnées – mais aux fêtes de village et entre voisins les cloisons se fissuraient, c'est le moins qu'on puisse dire. Les femmes et les hommes chantaient à tue-tête et se soûlaient et se tripotaient sur la piste de danse vers la fin de la soirée et faisaient un tour dans les buissons avec la mauvaise personne, et ce n'était pas sans provoquer quelques crises de temps à autre. Mais je suppose qu'ils ne se lâchaient pas plus que les gens dans les lotissements en ville, la barre de la décence était solidement fixée. En tout cas, ça fournissait des ragots du plus haut intérêt, j'ai pu le constater à la chorale où je m'étais inscrite, quand je restais pour le café après, comme observatrice.

Mon diplôme universitaire ne me donnait aucun point ici, c'est un fait, et je n'en ai jamais fait étalage non plus. Nous pouvions parler de livres, beaucoup de femmes participaient à des cercles de lecture et elles se jetaient passionnément sur les nouvelles parutions. Là, je pouvais briller un peu de temps en temps. C'était tout ce que j'avais pour me mettre en valeur.

Les hommes lisaient le supplément sport des tabloïds.

Je n'abordais jamais la politique mondiale avec elles, ni la philosophie ou le rôle de la femme. Pas parce que je les trouvais trop simplistes pour ces questions – ce serait plutôt le contraire, d'ailleurs – mais les femmes ici avaient tant d'autres sujets de conversation que ce n'était jamais le bon moment. Parfois c'était des potins locaux – et je suis sûre que les hommes aussi avaient leurs potins, dans leurs bandes – parfois des recettes de gâteaux ou des tuyaux pour le ménage. Très souvent, elles initiaient des projets qui concernaient tout le village, nettoyaient les bords des routes, préparaient des gâteaux pour la kermesse au profit du nouveau local des juniors du club de foot, protestaient contre les coupes dans le personnel à la crèche. Elles avaient la niaque, c'était autour des femmes que les choses se passaient, même si de préférence c'étaient les hommes qui présidaient à l'association du village. Il leur arrivait d'être assez comiques, comme ce bonhomme qui devait accueillir les réunions chez lui et qui les repoussait pendant des mois, parce que sa femme était malade et ne pouvait pas leur préparer le café !

Il régnait une sorte de féminisme brut et énergique parmi la plupart des femmes, qui parfois me laissait pantoise. Tandis que les pauvres féministes des médias se faisaient traiter d'anti-mecs plates comme des limandes dès qu'elles osaient élever la voix contre les différences de salaires, ces femmes ne se gênaient pas pour dire des horreurs sur les hommes. Elles ne détestaient pas les hommes mais elles n'avaient pas non plus spécialement de respect pour eux, elles voyaient leur propre mari plus comme un petit de la meute et pas le plus futé. Les hommes pensent avec leur bite, on ne peut pas leur confier des tâches importantes ! Qu'ils s'amusent donc entre eux, comme ça on ne les a pas dans les pattes ! Aucune de ces femmes n'aurait eu l'idée de se dire féministe.

Évidemment, je généralise. Il y avait des hommes qui prenaient leur congé paternité, il y avait des femmes comme des hommes bien informés sur toutes les questions sociétales. Mais ils sortaient de la norme. Le papa poule, tu sais ! L'autre là, la socialo !

Globalement, j'étais mieux avec les gens du village que je ne l'avais été à bien d'autres endroits. C'était sans exigences et aimable et généreux et je suis devenue assez sociable pour la peine. J'ai organisé une fête de Noël et j'ai écrit une petite pièce de théâtre, mais c'était plus tard, c'est vrai. Parfois je devinais que les gens se posaient des questions à mon sujet, mais pourquoi pas, je suis bon prince. Après la naissance d'Arvid je me sentais bien intégrée et tout le monde était content pour Benny qu'il ait une famille. En tant que dernier paysan laitier du village, il avait quelque chose d'un héros.

En février, je suis tombée enceinte de nouveau. Je ne pensais pas que ça puisse arriver pendant que j'allaitais, ou ça m'avait en tout cas paru assez improbable. Et donc, nous n'avions pas fait attention.

26

Benny

Bengt-Göran n'arrêtait pas de m'en rebattre les oreilles, de ne pas aller travailler seul dans la forêt. Mais qui avais-je pour venir avec moi ? Désirée, enceinte et allaitant ? Je n'avais pas non plus les moyens d'engager quelqu'un.

Quand l'accident s'est produit, je n'y étais même pas allé pour bûcheronner, seulement pour vérifier le peuplement. Je ne pensais mettre en coupe que l'hiver suivant. Je suis allé faire un tour avec mon vieux Lynx. Un des skis s'est pris dans une racine, le scooter s'est renversé sur moi et ma jambe a morflé, elle était complètement tordue. Je souffrais le martyre, et j'étais incapable de me dégager et d'essayer de rentrer. Je suis resté là à moitié allongé la tête en bas, jusqu'à la nuit quand Bengt-Göran, prévenu par Désirée, est arrivé sur sa motoneige. Je préfère ne pas repenser à ces heures-là, le froid et les mots d'adieux que je formulais dans ma tête. Pendant de longs moments, la douleur me faisait sombrer dans l'inconscience et en me réveillant, je ne savais pas où je me trouvais. J'avais une fracture compliquée.

Ces choses-là ne doivent en aucun cas arriver quand on est paysan. Bien sûr, mes assurances couvraient les frais d'un remplaçant mais seulement pour une courte période. Je n'avais pas pu me payer les options les plus chères. Le fidèle Bengt-Göran a pris la relève pendant quelques semaines, mais ensuite il a été obligé de s'occuper de sa propre ferme. Des voisins sympas et de vieilles connaissances sont venus de près et de loin me donner un coup de main. Un jour par-ci, un jour par-là. Mais quand il restait encore trois semaines à endurer avant qu'ils m'enlèvent le plâtre, je ne savais plus à quel saint me vouer, je n'étais pas loin du KO. Serait-ce la fin de tout ?

J'étais en train de déprimer sur la banquette de la cuisine quand Désirée est venue me rejoindre. Elle s'est assise et a pris ma tête sur ses genoux.

— Dis-moi, Benny, la traite, ce n'est pas un travail physiquement éprouvant, non ?

— Oublie ça, Désirée ! Tu n'aurais jamais la force de distribuer l'ensilage. Ni même de manipuler le distributeur. On ne veut tout de même pas que tu perdes le bébé dans ton ventre, hein ?

— Non. Mais je pourrais traire, si tu m'accompagnais. Bengt-Göran dit qu'il peut venir deux fois par jour pour s'occuper de l'affouragement, mais pas plus. Ça devrait suffire ?

Je n'aimais pas ça, mais je n'avais pas le choix. Bengt-Göran l'a accompagnée les premiers jours et lui a montré comment on fixe les gobelets sur les trayons. Elle s'en est bien tirée, même si elle s'affolait au début et piaillait quand elle trouvait qu'une vache devenait trop familière. Et je boitillais tout le temps à côté d'elle avec ma béquille. Je lavais les tanks, je nourrissais les veaux et je signalais les vaches qui étaient taries et celles qui n'avaient que trois trayons. On a envoyé la bête perfide à l'abattoir, je pense qu'elle a été la seule victime collatérale de l'accident dans la forêt. Je ne pouvais tout simplement pas laisser Désirée s'approcher d'elle.

Arvid était tout le temps avec nous dans l'étable, couché dans son landau ou assis dans son baby-relax. Parfois Désirée s'asseyait sur une balle de foin et l'allaitait. La machine à traire susurrait paisiblement, les vaches ruminaient et la radio diffusait du rock reposant des années 1960.

Je crois que jamais on n'a été aussi bien. Ni qu'on le sera encore.

Elle s'est terriblement fatiguée, évidemment, elle s'endormait dès qu'elle ne travaillait plus ou allaitait ou mangeait. J'ai appris à changer Arvid, ce n'était pas pire que de nettoyer les box à veaux. On a vécu de pommes de terre, de saucisses et de crêpes faites avec notre propre lait. Märta est arrivée une fois, la voiture pleine de ravitaillement. Désirée avait passé commande en ville. Elle ne voulait pas, n'avait pas la force de se déplacer.

Je réfléchissais tout doucement à un moyen de prolonger cet état de choses harmonieux. Si Désirée n'était pas obligée de retourner à son boulot et qu'elle continuait à travailler à l'étable ? Comme l'avait fait maman ! Pour que papa puisse se consacrer au boulot du dehors !

Un soir, j'ai précautionneusement semé ces idées. En tout cas, j'ai cru que c'était précautionneusement. Mais Désirée a fait une crise qui aurait certainement pu se mesurer sur l'échelle de Richter.

— Tu n'es pas sérieux ! Tu as dû rester trop longtemps la tête en bas ce jour-là dans la forêt !

— Pourquoi est-ce que ça serait si impossible ?

— Dis-moi, est-ce que tu as jeté un coup d'œil à nos finances dernièrement ? Non, c'est bien ce que je pensais, tu m'as laissée gérer ça. Je te signale que sans mon salaire, on devrait renoncer à notre pain quotidien. On vivrait des produits de la ferme, du lait et des pommes de terre, et de notre propre viande. Et on la mangerait crue, parce qu'on n'aurait pas de quoi payer les factures d'électricité ! Dis-le-toi bien – en ce moment la ferme ne tourne pas vraiment rond ! Elle nous paie les charges et c'est tout !

— Oui mais… ai-je tenté.

— Tu veux dire que je devrais porter les bébés comme une maman kangourou dans un sac sur le ventre pendant la traite ? Ou tu pensais les emmener avec toi sur le tracteur ? Parce que, sache-le, on ne pourrait jamais se payer une place à la crèche !

— Oui mais…

— Benny, écoute-moi ! Il y a un poste d'assistant qui se libère à la bibliothèque. On pourrait trouver un appartement en ville, près du boulot, j'en connais un. Il y a une crèche juste à côté. Ça ne te dirait pas d'être mon assistant et de te balader entre les rayons avec moi ?

— T'as perdu la tête ? Moi, dans une bibliothèque ?

Elle a affiché un sourire dépourvu de joie.

— Ah bon ? Mais pour toi c'est tout naturel
que primo je vienne habiter chez toi et que deuzio
j'abandonne mon travail pour t'assister ?

— Mais… mais… tu ne trouves pas que c'est
sympa, le travail dans l'étable ?

— Tu veux une réponse sincère ou une réponse
diplomatique ?

— Ni l'un ni l'autre, je crois…

— Tu en auras une quand même. Je trouve qu'en
ce moment, ça fait un putain de boulot, et je suis terriblement fatiguée. Ça ira sûrement mieux ensuite,
et c'est vrai, parfois je trouve que c'est cool de t'accompagner. Mais rien que l'idée de me trouver dans
l'étable plusieurs heures deux fois par jour année
après année… Traire, curer et nourrir… Traire,
curer et nourrir… le seul divertissement serait sans
doute s'il fallait abattre une bête d'urgence… et
ensuite vite, vite dans la maison pour m'acquitter
des tâches ménagères, parce que ça, tu ne le fais
pas !... j'étouffe rien qu'à y penser. Ce n'est tout
simplement pas mon truc, mais je comprends que
ce soit le tien ! Je ressens à peu près ce que tu ressens à l'idée de déplacer des livres à longueur de
journée. Ça, c'était la réponse diplomatique.

— De toute façon, ils ne me le donneraient pas,
ce poste à la bibliothèque, ai-je marmonné.

— Pff, je l'ai inventé, ce boulot. Pour que tu comprennes. Ça a marché ? Tu as compris ?

27

Désirée

Cet été, à contrecœur, je me suis occupée des vaches pratiquement tous les jours. Comme l'avait fait Anita l'été précédent… La jambe de Benny avait guéri, mais il préférait que ce soit moi qui l'aide plutôt que Bengt-Göran, disait-il, et de toute façon j'étais en congé maternité ! Nous savions tous les deux que même avec Arvid comme prétexte, je ne serais guère restée allongée dans un transat à le regarder bosser comme un forçat avec le tracteur.

Si bien que je menais les vaches des prés à l'étable et inversement deux fois par jour et la plupart du temps je me chargeais de la traite aussi. Au début elles n'étaient pas habituées à la liberté en plein air et elles essayaient de retourner dans leur bonne vieille routine. Il y a des gens qui fonctionnent de la même façon ! Les premières semaines, c'était la panique totale à chaque entrée et sortie, elles ne trouvaient pas leur logette, ça les rendait nerveuses et elles faisaient demi-tour au milieu du couloir central et galopaient maladroitement vers la sortie en faisant s'emballer les autres. Parfois elles s'égaraient sur la table d'alimentation et saisissaient l'occasion d'y lâcher une belle bouse. Mais plus l'été avançait, plus elles entraient et sortaient en troupe disciplinée.

Combien sont-elles, les femmes qui rêvent de vivre à la campagne parmi les vaches et les fleurs, avec un gentil mari et un petit bébé tout mignon, pensais-je parfois. J'avais une vie de rêve ! Seulement, ce n'était pas *mon rêve*, c'était celui de quelqu'un d'autre. Quelqu'un qui ne savait pas grand-chose de la vie à la ferme.

Ça me fatiguait, évidemment, j'étais enceinte de quatre mois. Quand je m'en plaignais à Benny, il prétendait, avec un sous-texte très net, que sa maman disait toujours qu'elle ne s'était jamais sentie aussi forte et en bonne santé que quand elle était enceinte de lui. Mauvaise réponse, en quelque sorte.

Le pire, c'est que j'étais obligée de laisser Arvid dans un parc à la maison quand je travaillais dans l'étable. Il avait commencé à se mettre debout et il avançait très vite à quatre pattes, si bien que je ne pouvais plus l'y emmener, il risquait de se faire piétiner par les vaches. Parfois ses hurlements furieux me suivaient jusque dans l'étable. La plupart du temps, Benny était parti sur une parcelle éloignée quelque part et d'ailleurs je n'aimais pas quand il emmenait Arvid sur le tracteur, il y avait des engins redoutables partout autour de lui. Et il n'existait pas de casque de protection adapté aux enfants en bas âge.

Si bien que lorsque Violette a proposé de le prendre quelques heures de temps en temps, j'ai dit oui, avec reconnaissance.

En quelques jours, elle est devenue une véritable experte ès Arvid.

— C'est quoi ces bêtises de lui donner une sucette ? a-t-elle dit. Si tu le portes un moment en te promenant, il s'endormira mieux !

— Oui, mais j'ai trop mal au dos, tu comprends… ai-je dit d'une toute petite voix.

J'étais au cinquième mois de grossesse, j'avais peut-être un pic précoce de relaxine. J'ai tendu les bras pour prendre mon fils, mais Violette a fait semblant de ne pas le voir. Elle s'est levée et a commencé à arpenter la pièce, mon bébé dans les bras.

— C'est ça, mon petit chou, tu aimes quand Violette te chante des chansons, hein mon petit cœur ?

Ça a empiré au fil des semaines. Elle me disait ce qu'il pouvait manger et ne pas manger, elle le couchait dans le landau et m'interdisait de le prendre, elle se détournait quand j'arrivais et devait absolument finir de regarder le livre d'images avec lui tandis que j'attendais debout devant la porte. Et elle me donnait des conseils et des indications sur tout, depuis les vêtements jusqu'aux habitudes de sommeil.

Un jour, une vache a mis bas dehors dans le pré. Une autre vache, plus élevée dans la hiérarchie, a tout bonnement repris son veau. Elle donnait des coups de corne à la mère et poussait le veau devant elle, veillait tout le temps à se trouver entre la mère et le veau. La maman vache meuglait tristement et suivait les deux où qu'ils aillent mais l'autre ne lui permettait pas de s'approcher de son veau.

J'ai vu Violette et moi-même. Violette était une Véritable Femme, alors que moi j'en jouais simplement le rôle.

Vers la fin de l'été, Märta m'a invitée à venir dans la maison de campagne qu'elle avait louée pendant le séjour de Magnus en camp d'entraînement. Il y avait un petit créneau entre les foins et la mise en silo, j'ai dit oui sur-le-champ. J'étais tellement, tellement fatiguée ! Tout ce que je voulais, c'était dormir le matin pendant quelques jours. Märta avait promis d'exercer sa fonction de marraine en emmenant Arvid à la plage.

Benny s'est déclaré d'accord, mais en me lorgnant d'un œil presque mécontent, il s'était habitué à être débarrassé d'une partie du travail avec les vaches.

Nous serions absents pendant trois jours, Arvid et moi. Avant de partir, j'avais préparé et congelé six repas pour Benny. Il n'avait qu'à en prendre deux portions par jour, au déjeuner et au dîner, qu'il mettrait au micro-ondes. Quand je suis revenue, il en restait cinq dans le congélo. Il s'était nourri de yoghourt, disait-il sur un ton accusateur.

— Ben oui, tu crois que j'ai le temps de me préparer à bouffer avec tout ce boulot ? Et toi qui es pas là ?

— Comment ça, préparer à manger ? Chauffer une barquette dans le micro-ondes pendant deux minutes ?

— Ben qu'est-ce que tu veux ? J'ai pas le temps de penser à planifier la bouffe !

Je me suis dit qu'il s'était ennuyé et avait perdu l'appétit sans nous, ou alors il voulait me donner mauvaise conscience. Puis j'ai croisé Violette et compris qu'en réalité il avait mangé chez elle à tous les repas. Elle n'a pas tari d'éloges sur son énorme appétit et m'a fait comprendre qu'une Véritable Femme ne prend jamais de vacances.

— J'étais tellement fatiguée… ai-je dit sur un ton plaintif en m'apprêtant à invoquer mon état. Mais je n'ai pas pu. J'avais un enfant, bientôt deux, et elle n'en avait aucun. Et pour rien au monde je ne voudrais changer ma place avec la sienne.

Il me restait un mois avant de reprendre mon travail à la bibliothèque. Je me suis surprise à avoir hâte d'y être comme on a hâte d'être en vacances.

28

Benny

On a eu une place à la crèche pour Arvid, il n'y a eu aucun problème. Désirée a repris son boulot, elle se levait en même temps que moi, elle l'habillait et le déposait avant de continuer en ville. Parfois ils ne rentraient que quand j'étais déjà dans l'étable pour la traite du soir et quand j'avais fini, Arvid dormait déjà, je le voyais à peine. Elle se plaignait que les journées étaient lourdes. Comment ça, lourdes, avec un môme à la crèche et pas d'étable à gérer ?

— Enfile donc un sac à dos avec dix kilos supplémentaires sur le ventre, et tu verras ! a-t-elle dit.

Quand j'ai réclamé de l'aide pour les vaches pendant les labours d'automne, elle a refusé catégoriquement. "Je vais bientôt vêler, disait-elle. Tu ne demanderais pas à tes vaches de trimer les derniers mois ! Et d'ailleurs je ne trouverais pas les trayons, ça fait un moment que je n'ai pas vu mes propres pieds !" Bon, à ça, je n'avais qu'à dire amen.

Cette fois-ci, elle n'a pas perdu les eaux dans la cuisine. Elle a dépassé le terme de deux semaines encore une fois et elle a dû entrer à la maternité pour qu'ils déclenchent l'accouchement. Je trouvais ça bien, on pouvait planifier, ça serait à la place des vacances. Cette fois, j'allais pouvoir être là.

Et pas seulement moi, on s'en est vite aperçus !

Comme c'était programmé aux heures ouvrables, ils avaient calé un tas de visites pédagogiques, pendant l'accouchement.

— On évite de demander ça aux primipares, a expliqué la sage-femme. Mais vous, est-ce que vous voulez bien que deux élèves infirmières assistent ?

— Plus on est de fous… ai-je rigolé bêtement. J'étais passablement nerveux, globalement. Désirée m'a lancé un regard noir en douce. Deux filles au teint cireux avec des queues-de-cheval sont entrées et se sont mises à chuchoter dans un coin.

Ils ont donné un produit à Désirée et le travail s'est mis en route. Elle a commencé à souffler et à haleter et subitement la sage-femme est arrivée avec trois étudiants en médecine, avec un haussement d'épaules en guise d'excuse : "Il faut bien qu'ils apprennent." La poche des eaux s'est rompue devant leurs yeux curieux, la sage-femme portait des bottes en caoutchouc.

— Tu vois, m'a chuchoté Désirée dans une pâle tentative de plaisanter, j'aime autant ne pas être seule avec toi. Tu n'hésiterais pas à poser des lacs de vêlage aux pattes arrière du bébé pour exercer des tractions croisées !

Ensuite elle a rugi qu'elle voulait une péridurale et la sage-femme qui entrait et sortait sans arrêt comme un foutu coucou dans une horloge suisse – elle s'occupait de plusieurs femmes en même temps – a dit qu'elle était à la recherche d'un médecin qui pourrait la lui faire.

Je ne sais pas ce qu'on avait imaginé. Qu'on accoucherait ensemble, Désirée et moi, en nous tenant tendrement par la main ? Ha !

Les étudiants en médecine ont saisi l'occasion de poser tout un tas de questions à Désirée. "Est-ce que tu peux décrire la douleur ? Un peu comme des coliques néphrétiques, peut-être ?" a dit le premier. L'autre a voulu en savoir plus sur son alimentation et le troisième sur son hygiène pendant la grossesse. Les élèves infirmières ont écouté son ventre à tour de rôle pendant les contractions. Désirée a eu l'air de plus en plus désespérée. J'ai essayé de jouer des coudes pour me frayer un passage jusqu'à elle.

La sage-femme avait terminé son service, une nouvelle est arrivée et il a fallu la mettre au courant de l'avancement de l'accouchement. À part moi, il y avait sept personnes dans la salle qui bavardaient entre elles lorsque Désirée a subitement poussé un gémissement tonitruant.

— Ça y est !

Ça a déclenché une activité fébrile. Tous ont mis un masque et se sont bousculés autour de la table d'accouchement pour regarder mon deuxième fils venir au monde. J'ai eu le temps d'apercevoir sa tête, on aurait dit une balle de caoutchouc comprimée qui s'est soudain détendue et élargie, ensuite j'ai eu les fesses d'un étudiant dans mon champ de vision. En vain, j'ai cherché la main de Désirée du bout des doigts. Quand tout était fini, un médecin stressé est arrivé.

— La péridurale, c'est ici ?

La nouvelle sage-femme était du genre plutôt bourru. Elle a fait un tour d'horizon comme un général inspecte ses troupes, puis elle a gueulé :

— Tous sauf le papa – dehors !

Et ils sont partis, en discutant passionnément entre eux.

Ensuite tout a été calme et bon et vert, un éclairage tamisé et un bébé sur le ventre qui a ouvert un œil bleu foncé pour nous reluquer. On pleurait comme des Madeleine tous les deux, évidemment.

— Ben voilà, une belle audience dès sa naissance ! ai-je dit. Il fera sûrement des choses grandioses dans la vie !

— Si jamais j'ai un autre enfant, je ferai payer un droit d'entrée ! a déclaré Désirée. Sauf qu'en ce moment, ce n'est pas un projet qui m'attire spécialement – avoir d'autres enfants, je veux dire.

— Pense au repeuplement dans l'agriculture, ai-je dit. Les paysans suédois sont de plus en plus vieux.

— Et tu imagines qu'on va inverser la tendance à nous tout seuls ? a-t-elle marmonné. Oh regarde ! Il a le même épi que toi !

29

Désirée

L'automne fut laborieux, avec un travail à temps plein en ville et un bébé de douze mois, et le gros ventre, plus le travail avec les vaches le week-end. Je savais que Benny avait besoin d'aide, il ne faisait aucun secret de tout le boulot qu'il avait à la ferme… Le problème, c'est qu'il ne voyait jamais tout ce que je faisais pour tenir la maison, ça ne comptait pas pour du vrai travail. Son credo, c'était : "Femme au foyer, bien-être assuré", à peu près. Il ne concevait pas qu'il faille du temps pour créer ce bien-être. J'y ai pensé un jour quand il s'est généreusement offert d'organiser notre vendredi soir cosy puisque je travaillais tard ce jour-là. Il irait chercher Arvid à la crèche, ferait des courses et préparerait quelque chose de bon. J'ai retenu mon souffle, c'était la première fois qu'une telle chose se produisait !

Je suis rentrée à la maison m'attendant à une belle surprise et dès le vestibule mon nez a cherché à détecter le fumet d'un petit plat mijoté. La porte de la cuisine était mystérieusement fermée, je me suis dit qu'il avait mis la table avec une nappe et des serviettes et des bougies, comme je le faisais parfois. Tout doucement je l'ai ouverte.

— Salut ! dit Benny.

Il était assis sur la banquette en train d'écluser une bière, directement à la bouteille, en lisant la partie deux du Pays. Sur la nappe cirée étaient posés deux assiettes et deux verres duralex. Sur un plat de service, un sac en plastique avec des crevettes décortiquées, décongelées et molles. C'était tout. Le néon du plafond répandait sa lumière bleutée sur l'ensemble.

— T'as vu, des crevettes pour la Crevette ! dit-il fièrement.

J'ai serré les dents, mais il m'en a coûté !

Et puis il y avait aussi le problème de ne jamais avoir une bonne nuit de sommeil. Mon ventre était comme un gros paquet qu'il fallait soulever chaque fois que je voulais me retourner dans le lit, oh hisse ! À tout moment, le bébé donnait un coup de pied sur la vessie et je devais me lever pour aller faire pipi. Et parfois je me réveillais avec une crampe dans la jambe, comme si un géant au pied du lit était en train de la tordre dans les deux sens à la fois. C'était insupportable. La seule chose à faire dans ces moments-là, c'était de me lever et de sautiller sur la jambe nouée en fermant les lèvres sur les jurons, jusqu'à ce que la crampe passe, tandis qu'un Benny irrité se retournait vers le mur en marmonnant qu'il avait besoin de dormir, bordel. Il avait peur que je lui demande de me masser, comme je l'avais fait la première fois que ça m'était arrivé. Je n'ai jamais recommencé, il a passé tout le lendemain à bâiller et à me lancer des regards offusqués. Et bien sûr, c'était plus efficace de sautiller. D'autant plus qu'une fois bien réveillé, Benny avait insisté pour s'attarder du côté intérieur de ma cuisse.

Parfois j'essayais de mendier un peu de sympathie, surtout le week-end quand j'aurais donné cher pour ne pas aller dans l'étable. Mais Benny répondait toujours gaillardement que sa maman – et sa tante et sa grand-mère – disait toujours que la grossesse n'est pas une *maladie*. Puis il racontait l'histoire d'un membre de la famille, une bonne femme douillette de la ville qui avait passé la sienne calée sur des coussins, vêtue d'une liseuse garnie de dentelle, attendant que sa carpette de mari lui apporte le café au lit… Apparemment c'était une blague de famille. Je commence aujourd'hui à entrevoir un schéma dans toutes ces blagues sur les hommes sous la férule de leur femme. Elles ont pour fonction d'apprendre aux femmes à ne pas poser d'exigences, et de plus elles donnent aux hommes une agréable bonne conscience. Bon sang, un vrai homme ne fait de courbettes devant personne.

Il m'arrivait de trouver Benny dans la cuisine de Violette en train de boire un café quand je venais chercher Arvid. Lui et Bengt-Göran s'empiffraient de brioches à la cardamome et de carrés à la confiture et je ne sais quoi encore préparé par Violette, et Violette elle-même était *debout* devant le plan de travail, sa tasse à la main, prête à se précipiter à tout moment avec la cafetière pour remplir leurs tasses. Les dernières semaines avant la naissance de Nils, j'ai découvert avec une certaine mélancolie que moi aussi, j'étais debout devant le plan de travail de ma cuisine pour siroter mon café, tandis que Benny et Bengt-Göran prenaient leur goûter (des biscottes) assis à ma table. Je me tenais prête à remplir sa tasse lorsque Bengt-Göran la tendait sans même me regarder, et j'étais prête à intervenir quand Arvid arrivait en titubant sur des jambes instables. Mais d'un autre côté, quel plaisir y avait-il à prendre le café avec deux individus qui discutaient de lisier et de boues d'épuration ! Mieux vaut ne pas se mettre en rogne pour des riens ! Me disais-je.

C'était époustouflant, la vitesse avec laquelle la grande transformation s'était faite : le Benny humble et aimant qui avait été si reconnaissant que je veuille bien vivre avec lui s'était sans le moindre problème coulé dans le rôle du Mari Suédois Traditionnel, et je l'avais laissé faire. Je souris souvent un peu jaune quand on parle de l'homme suédois égalitaire qui "endosse sa part". Je veux dire, on n'arrache pas les comportements avec les racines aussi vite que ça seulement parce que les hommes ont *formellement* la possibilité de prendre un congé paternité ! Et j'ai le sentiment que ce n'est pas à la campagne qu'on trouve les fers de lance en matière d'hommes nouveaux. En revanche, il y a beaucoup de congés paternité durant la chasse à l'élan.

D'accord, j'exagère – Benny était tendre *aussi*, et les heures que nous avions ensemble quand Arvid s'était endormi, quand nous étions tranquillement installés devant la télé avec une tasse de thé, je ne voulais certainement pas les échanger contre mes agréables soirées solitaires dans mon appartement de célibataire.

Märta est venue un jour et elle a secoué la tête en me voyant debout avec mon café tandis que les hommes étaient assis à table.

— Oui, mais c'est moi qui ai choisi ça, l'ai-je rabrouée. J'aime Benny ! Je lui offre ça en ce moment, je veux qu'il trouve que j'ai ma place ici et qu'il a fait une affaire avec moi.

— J'ai entendu un mec très inquiet à la télé l'autre jour, il avait l'impression que les femmes commencent à virer anti-hommes, a-t-elle soupiré. Ça n'a jamais été ça, le problème. Le vrai problème, c'est que nous ne le sommes pas, anti-hommes. Quelle femme a envie de chercher des crosses à celui qu'elle aime et à s'engueuler avec lui, jour après jour ? Tu n'as qu'à voir ça comme la Malédiction d'Anita !

30

Benny

Un soir vers la fin de cette année-là, j'ai tout à coup pris une palette de tuiles sur la tête. Je veux dire, c'est l'impression que ça m'a fait.

Évidemment ça couvait depuis un moment. Depuis qu'un éleveur dans le nord du département s'était fait épingler pour cruauté envers des animaux. C'était une putain d'injustice en fait, il avait gardé ses vaches aux pâturages pendant l'automne et a été dénoncé pour manque de soins par un connard d'inspecteur des services vétérinaires, un débutant aux diplômes encore dégoulinants d'encre fraîche. Et ça, bien que les animaux soient éclatants de santé. Les vaches ne sont pas des chats d'intérieur, elles préfèrent être dehors, leur pelage devient plus touffu quand il se met à faire froid, c'est tout. Ce genre de mec serait capable d'exiger que tous les paysans installent des hangars chauffés pour les élans de leurs forêts. Puis la police est venue saisir les vaches qui ont été placées chez d'autres paysans dans l'attente d'une enquête. Au bout de neuf jours, l'éleveur s'est rendu compte que ça avait coûté quarante mille couronnes de transporter et de loger ses vaches, et il ne pouvait pas payer une telle somme même avec des emprunts, parce qu'ils ne les lui accorderaient pas, vu qu'ils avaient fait main basse sur la ferme comme garantie pour tous ces frais. Alors il a exigé qu'ils vendent ses bêtes, mais l'argent qu'il a obtenu pour vingt vaches ne couvrait que la moitié de la facture pour neuf jours ! Comme ça il s'est retrouvé sans animaux et sans gagne-pain, avec une dette salée et en passe de perdre sa ferme. L'étable avait déjà été brûlée par une bande d'activistes des droits des animaux, c'était dans le journal.

Pendant des mois après, j'avais des fourmis dans le ventre dès qu'on me parlait de la santé des animaux. Je veux dire, ce n'était pas nouveau, Bengt-Göran avait vendu ses vaches quand les nouvelles lois sur les stalles plus grandes avaient été votées quelques années auparavant, il n'avait pas les moyens de faire des putain d'emprunts de plusieurs millions pour mettre son étable aux normes ! Quelques petits exploitants y ont laissé des plumes, des éleveurs qui connaissaient leurs vaches personnellement, si je puis dire. Sont restées les grosses machineries, l'industrie animale. Sur des surfaces au sol considérables.

Et ça a empiré après mon accident de motoneige. Pendant une période, je n'ai pas eu la force de maintenir les bêtes aussi propres que d'habitude, je n'avais tout simplement pas le temps. Logiquement, on pourrait se dire que les gens comprendraient que je suis le plus concerné par le bien-être des bêtes ; les vaches malades ne rapportent rien et le vétérinaire, c'est hors de prix. Mais pendant un temps, je suis devenu complètement parano ; quand j'apercevais des gens que je ne connaissais pas à proximité de la ferme, je pensais que c'était un journaliste investigateur avec une caméra cachée ou alors un foutu végétalien ! Et alors adieu Rönngården. Ça pouvait se faire en un clin d'œil.

C'est au Monopole des spiritueux en ville que ça m'est tombé dessus comme une palette de tuiles. Une nouvelle parano. J'étais là avec Arvid dans sa poussette pour acheter du champagne pour le nouvel an. Désirée s'était mis en tête qu'on devait inviter des gens parce qu'elle n'avait pas vu un chat depuis le rassemblement dans la salle d'accouchement, disait-elle. Arvid était avec moi pour qu'elle puisse éventuellement dormir un petit moment, si Nils était d'accord. Je m'inquiétais pour elle, elle avait terriblement maigri. Et elle avait l'air d'un raton laveur autour des yeux, c'était toutes les nuits blanches qu'elle passait.

Ce n'était pas facile, Arvid voulait faire pipi et il fallait qu'il caresse tous les chiens qu'on croisait et je ne sais quoi encore, et tout le temps il gazouillait comme un petit pinson. Je crois qu'il était content de m'avoir pour lui tout seul pour une fois.

J'étais donc là et j'essayais de choper la bonne prononciation d'un champagne dans le catalogue ("Veuveu Clicau ?") quand j'ai aperçu une femme qui faisait la queue avec un môme dans une poussette, elle aussi.

Mais pas n'importe quelle poussette ! Une Porsche de course dernier modèle. Rutilante de chrome et de design, certainement avec une tenue de route parfaite en ligne droite comme dans les virages. Et mon regard a glissé vers le véhicule éraflé d'Arvid, une occase à vingt balles au marché de Noël de l'école. Je l'avais ressoudée et remodelée et peinte, mais c'est sûr, les roues étaient faussées et la couleur était gris cuirassé, un fond de peinture qui restait de la trappe de la cave.

Nom d'une pipe, j'avais deux enfants à présent ! Et s'il venait un inspecteur zélé… si les vaches attrapaient une maladie et qu'on nous refusait le lait… si les cours du lait chutaient encore davantage… s'ils inventaient encore des putain de nouvelles règles à l'UE… s'il m'arrivait quelque chose à nouveau… si…

Je ne pourrais pas les nourrir ! Et Désirée ne pourrait pas nous nourrir tous ! Son salaire ne couvrait même pas les mensualités de l'emprunt pour l'extension de l'étable des veaux ! Comment avais-je pu m'octroyer le droit de faire des enfants que je ne pourrais peut-être même pas nourrir ? Et vous ne pouvez pas prétendre aux allocations familiales quand vous jouissez d'immobilier évalué à plusieurs millions !

J'ai été tellement stressé que je me suis mis à trembler comme une feuille. Et à ce moment-là, mon regard est tombé sur le prix de la bouteille de champagne dans le catalogue.

J'ai empoigné la poussette d'Arvid, mis le cap sur la porte et je suis entré au Seven Eleven dans l'immeuble à côté où j'ai acheté une grande bouteille de cidre. J'avais un plan.

Pour le nouvel an, nous avons invité trois couples du village. Désirée a préparé un truc super, un bout de filet de bœuf qu'on avait dans le congélateur depuis l'abattage d'automne, avec un gratin de pommes de terre et des poireaux, des carottes et des petits pois et une méga sauce à la crème. Tout ça produit par la ferme ! Les invités ont apporté du vin, sauf Bengt-Göran qui est venu avec une bouteille d'aquavit.

La soirée a été vraiment sympa. Je n'ai pas lésiné sur l'aquavit de Bengt-Göran avec l'entrée, ça a mis de l'ambiance, tout le monde était pompette, on rigolait et on racontait de vieilles blagues. Nils s'est tenu tranquille pour une fois et vers minuit on est sortis sur le perron pour envoyer des fusées de feu d'artifice et écouter les douze coups à l'autoradio.

Désirée m'a engueulé parce que la bouteille de champagne était déjà ouverte quand je l'ai apportée sur un plateau avec des verres. Elle ne pouvait pas savoir que cette bouteille-là sortait d'un coin de l'atelier où elle était restée depuis le nouvel an de l'année précédente quand Anita et moi l'avions vidée dans un silence crispé. Je l'avais remplie de cidre et d'alcool maison dans des proportions savamment dosées. Minuit a sonné, Désirée a pris une seule gorgée puis elle m'a dévisagé, bouche ouverte et le menton quelque part à hauteur de son décolleté. Bengt-Göran a fait cul sec et braillé un truc décousu comme quoi il avait toujours cru que le champagne, c'était fantastique, mais nom d'un petit bonhomme, on dirait de la gnôle maison avec du soda ! Les autres ont ri cordialement et personne n'a cru un seul instant que c'était la vérité. "Mmm, veuveu clicau ?" a dit Lisa Brodin sur un ton guindé, elle veut démarrer des cours d'œnologie dans le village. Je n'ai fait que sourire. Je les connais tellement bien, les petits chéris.

Ça valait le savon que j'ai pris après. Je veux dire, 450 couronnes* la bouteille ! J'ai simplement assumé ma responsabilité financière, en tant que père de famille.

* Environ 45 euros.

QUATRIÈME ANNÉE

Avis de coup de vent

31

Désirée

Pendant tout l'automne et surtout vers la fin de la grossesse, j'avais été très fatiguée. J'avais *réellement* trouvé que c'était chouette de reprendre le travail. J'avais parlé à Olof de mes projets d'une grotte du conte et du festival de film pour enfants et nous avions amorcé de façonner le concept, nous avions de nouvelles idées tous les jours. Mais ça me coûtait de faire quotidiennement soixante kilomètres dans l'obscurité sur des routes verglacées, le ventre calé contre le volant. C'était lourd de descendre Arvid et les sacs de courses et de tout traîner dans la maison. Ça allait être merveilleux de pouvoir vivre à mon propre rythme, m'étais-je dit. Avoir les enfants toute la journée. J'allais même apprendre à préparer des carrés à la confiture.

Après l'accouchement bouffon, je m'étais assez vite rétablie physiquement. Benny ne pouvait pas s'attendre à ce que je m'occupe de l'étable tout de suite, pensais-je, d'ailleurs c'était assez calme pour lui aussi en hiver, il pouvait faire de longues balades à ski dans la forêt si le cœur lui en disait. Il avait appris la leçon et ne travaillait plus seul en forêt, si bien qu'une fois les labours d'automne terminés, il ne restait que le travail dans l'étable dans la journée. Quant à moi, j'allais seulement m'acquitter des tâches ménagères quotidiennes, puis m'installer dans le canapé avec Arvid et lui lire des livres, avec Nils au sein. Peut-être lire un livre moi-même aussi, ça faisait tellement longtemps !

Alors Nils a eu des coliques. Celui qui a eu des enfants à coliques sait ce que ça veut dire, celui qui n'en a pas eu ne pourra jamais comprendre. L'épuisement après des nuits de veille à arpenter toutes les pièces de la maison avec un petit paquet hurlant bleu-rouge dans les bras, ou à se promener dehors avec le landau, de jour comme de nuit. Le mouvement le calmait, mais il ne suffisait pas de juste le bercer. J'ai fini par trouver que si je lui faisais faire un tour en voiture, il se taisait. Combien de nuits n'ai-je pas circulé sur de petites routes à peine déblayées, à moitié aveuglée d'épuisement. Parfois je m'arrêtais sur un parking, posais la tête contre le volant et dormais une heure, jusqu'à ce que Nils se réveille et se remette à hurler. Benny ne pouvait pas m'aider, il fallait qu'il travaille, comme il disait. Ben oui. Parcourir les routes la nuit ne comptait tout de même pas pour du travail.

J'ai essayé d'imaginer des choses sympas à faire avec Arvid pour qu'il pense à autre chose qu'à occire son petit frère. Ce serait quand même un comble si la bibliothécaire enthousiaste en charge de la section enfants avec toutes ses idées n'arrivait même pas à amuser son propre gamin ! Mais souvent je m'endormais en plein jour sur le canapé, avec Arvid et un livre sur les genoux. Il me donnait des coups de coude avec un certain agacement. Pour finir, il s'est habitué à s'occuper tout seul pendant que je glissais doucement dans le coma. Ce n'était pas bien, évidemment, il n'avait qu'un an et demi. Un jour quand Benny est arrivé, il venait juste de déboucher une bouteille d'essence de térébenthine qu'il avait trouvée dans le placard à balais. À côté de lui, son mug. "Immonade !" disait-il tout excité. De la limonade, et il aurait sans hésitation versé la térébenthine dans le mug et l'aurait avalée si son père n'était pas arrivé à temps. Après cet incident, Benny a sécurisé tous les placards et tiroirs avec des astuces bricolées maison, des chaînes et des boucles. Seul hic, ils étaient sécurisés pour les adultes aussi…

La fatigue perpétuelle m'a fait rater deux des grands événements dans mon entourage proche ce printemps. Märta et Magnus, et Violette et Bengt-Göran, les deux couples ont reçu leur enfant adoptif tant désiré ! Mais comme parents adoptifs, ils n'auraient pas pu être plus différents.

La petite Consuela de Märta et Magnus venait d'Amérique latine, elle avait environ trois ans à son arrivée et elle était dotée d'un bec-de-lièvre sévère. Leur quotidien a été entièrement accaparé par ses opérations, mais lorsque Märta prenait le temps de venir me voir, nous nous amusions bien. Elle apprenait l'espagnol pour aider Consuela à conserver sa langue maternelle et Magnus avait cessé de soulever de la fonte tous les jours, désormais il faisait la course en fauteuil roulant avec Consuela. Assise sur ses genoux, elle hurlait de ravissement lorsqu'il dévalait les rues à tombeau ouvert.

Elle me manquait, Märta. J'ai tout simplement été très seule, parce que personne ne "passe par là et s'arrête" à plusieurs dizaines de kilomètres de la ville et même si j'en avais eu la force je n'aurais pas voulu traîner deux petits enfants avec moi pour faire un saut chez une voisine un soir. D'ailleurs, je ne les connaissais pas assez bien pour ça.

Bengt-Göran et Violette avaient adopté leur fils en Russie ("On préfère avoir un enfant qui nous ressemble !"), et ils étaient aux abonnés absents. Un dieu lare était descendu chez eux, ils l'appelaient Kurt-Ingvar comme le père de Bengt-Göran, un nom qui pourrait certainement se révéler un aussi grand fardeau qu'une "mauvaise" couleur de peau. Mais quelque chose me disait que la mère biologique de Kurt-Ingvar avait eu une aventure avec un cavalier mongol et que Kurt-Ingvar tenait de lui. Avec ses yeux noirs bridés et son large visage doré, il était d'une beauté exotique. Le temps où je pouvais déposer l'un ou l'autre de mes enfants chez Violette sans prévenir était définitivement passé. Elle était devenue La Mère en une nuit. J'étais heureuse pour elle, mais plus d'une fois j'ai dû serrer les dents quand elle me faisait comprendre que c'était trop sale chez moi pour qu'elle ose poser Kurt-Ingvar par terre. Elle laissait entendre aussi que si je ne prenais pas plus soin de mon apparence… "Tu sais, Benny était un vrai tombeur à l'époque !" Comme par hasard, elle oubliait toujours une de ses brochures de maquillage. Benny trouvait que je devais essayer un rouge à lèvres qui s'appelait Cool Kisses. Sans doute une insinuation discrète que je devais me glisser plus souvent de son côté du lit.

Comment ça ? La nuit j'étais dehors à promener Nils pour qu'il dorme !

32

Benny

— Je te jure, Benny ! a dit Bengt-Göran un soir
quand il était venu traîner dans notre cuisine. Désirée venait d'aller se coucher avec Nils, bien qu'il
ne soit que huit heures et demie. Je te jure, Benny !
C'est comme ça que c'est censé être ? Hein ?

J'ai tout de suite pigé ce qu'il voulait dire. On
se connaissait depuis tellement longtemps que je
le comprenais par télépathie. Il trouvait dommage
que les femmes soient si absorbées par les enfants.

— J'ai essayé de faire venir Violette avec moi à la
Rotonde samedi soir ! C'était notre anniversaire de
mariage. Mais elle n'a fait que me regarder droit en
face puis elle m'a sorti : "Et Kurt-Ingvar ? T'as pensé
qu'on allait le laisser chez des inconnus complets ?"

Il a gardé le silence un moment.

— Je m'étais seulement dit qu'elle me laisserait
l'approcher ensuite… Depuis l'arrivée de Kurt-Ingvar, il n'y a pratiquement rien eu, tu sais.

J'ai dit que c'était pareil pour moi, mais en croisant les doigts dans le dos. Désirée m'avait tout de
même "laissé l'approcher" des fois !

Il avait l'air tellement malheureux que j'ai eu une
mauvaise idée.

— Il faut peut-être les bousculer ? Et si on allait à la Rotonde tous les deux comme au bon vieux temps, Bengt-Göran ? Et qu'on rentrait avec du rouge à lèvres sur le col de chemise ? Ça leur ferait peut-être comprendre ce qu'elles risquent ?

Bengt-Göran s'est tout de suite enflammé. J'avais lancé ça comme une blague, mais il n'a pas lâché prise, il a fermé les crocs sur ma proposition et l'a mâchée comme un affamé. Pour finir, il m'a fait promettre de venir avec lui à la Rotonde le vendredi suivant. Il m'a même promis de prendre l'étable le samedi matin, tellement il était surexcité.

Désirée a posé sur moi ses yeux ternis de raton laveur quand je le lui ai dit. Je me suis tortillé un peu et exagéré les plaintes de Bengt-Göran, en affirmant qu'il était au bord du suicide. Je me suis persuadé que je me sacrifiais pour lui. Elle n'a pas été dupe, oh non !

— Alors je prendrai ma soirée samedi ! s'est-elle bornée de dire. Tu t'occuperas d'Arvid et Nils, je l'allaiterai avant de partir, il tiendra cinq, six heures.

J'ai dit oui, nageant en pleine confusion. J'avais cru qu'elle allait opposer une résistance et je n'ai pas compris avant qu'il soit trop tard que c'était exactement ce qu'elle faisait.

Le vendredi soir, on est allés en ville dans la vieille Dodge de Bengt-Göran, on allait se faire ramener par un de ses copains. Bengt-Göran avait déjà tâté la gnôle maison, il en avait un bidon à l'arrière de la voiture qu'il mélangeait avec du cidre.

— Un peu de champagne ? a-t-il rigolé, pensant faire une blague.

La Rotonde est la seule boîte où les gens de notre génération peuvent aller sans se sentir croulants. Les discothèques sont hors de question, les stroboscopes vous donnent l'impression d'être épileptiques et les nanas ont dans les treize ans, elles te regardent comme si tu n'existais pas. Mais la Rotonde fait venir de bons groupes, ceux qui caracolent en tête du top ten de la chanson suédoise pendant des semaines, et les nanas ont entre vingt-deux ans et la mort.

Une walkyrie avec des faux cils m'a attrapé illico et m'a piloté sur la piste. Après deux séries de danses, elle a tâté ma main gauche.

— Marié ? Tant mieux !

— Tant mieux ? Comment ça, tant mieux ? ai-je dit, surpris.

— On se débarrasse plus facilement des hommes mariés.

Elle m'a expliqué qu'elle était mère célibataire de deux petits bouchons et qu'elle essayait de sortir deux fois par mois. "On drague un mec et on le met dans son lit pour la nuit parce que parfois on en a besoin avant d'avoir eu le temps de dire ouf, il t'a envahi jusque le frigo et vas-y, essaye de t'en débarrasser. Il pose les pieds sur la table et attend que le café soit servi et ensuite il compte sur une assistante personnelle. J'en avais un comme ça, j'ai divorcé, et pour rien au monde je ne voudrais recommencer ! Mais les hommes mariés, c'est bien, ils veulent la même chose, juste une baise pour la nuit !

J'ai été un peu choqué. Mais en même temps j'ai senti quelque chose se passer sous la ceinture quand elle a dit "une baise pour la nuit". Elle n'était pas belle, certainement pas, mais elle avait quelque chose de sain et de femme en chaleur, je me suis dit si…

Bon, je pense que c'était une chance, mais seulement une heure plus tard, Bengt-Göran était tellement bourré qu'il s'est fait vider et je n'ai pas pu faire autrement que de partir avec lui. Il avait tripoté toutes les nanas du dancing et s'était vanté de sa virilité dans des termes on ne peut plus clairs. On a tourné un peu en ville, sans but et sans enthousiasme, on a fait la queue devant quelques pubs mais on a vite abandonné. On ne pouvait pas rentrer trop tôt, ça gâcherait notre effet, comme disait Bengt-Göran. Il faisait un putain de froid, on se les gelait et pour finir on est allés avaler un Big Mac en sirotant sans entrain chacun son Coca jusqu'à ce que le pote de Bengt-Göran vienne nous chercher avec la voiture.

Désirée ne s'est pas réveillée bien que j'aie fait un max de bruit en montant l'escalier.

33

Désirée

Je l'ai fait quasiment la mort dans l'âme. J'ai acheté un coffret de maquillage à Violette et je l'ai laissée me peinturlurer. Elle n'y est pas allée de main morte, je crois qu'elle en voulait terriblement à Bengt-Göran et qu'elle a voulu se venger par mon intermédiaire.

— Aucun sens des responsabilités ! a-t-elle reniflé sur un ton offusqué. Il est rentré à deux heures et demie du matin, soûl comme un Polack. Empestant l'eau de toilette ! Kurt-Ingvar s'est réveillé quand il a débarqué et il ne s'est pas rendormi ! Je l'ai laissé dormir sur le canapé, Bengt-Göran je veux dire, ça lui a filé un lumbago !

Elle a posé des couches épaisses d'immonde ombre à paupières mauve et terminé avec du rouge sur mes joues, j'avais l'air d'un clown. Elle a saisi l'occasion pour me donner des conseils maternels, pensant que moi aussi j'irais à la Rotonde. C'étaient ses anciens terrains de chasse. Elle savait que je n'y avais jamais mis les pieds.

— Voilà, tu les regardes avec un grand sourire, et ensuite tu détournes les yeux, puis tu regardes de nouveau ! Et tu n'arrêtes pas de bouger. Tu claques tes doigts ou tu bouges ton corps et tu fais quelques petits pas de danse, comme ça ils comprennent que tu as envie de danser ! Au début tu peux inviter des mecs toi-même pour qu'on te voie sur la piste ! Ça y est ! Regarde-toi, tu n'es pas si mal que ça en fin de compte !

Benny m'a dévisagée quand je suis rentrée maquillée et pimpante et que j'ai mis ma seule robe échancrée. Je venais d'allaiter Nils, il dormait. Je savais qu'il allait se réveiller une demi-heure plus tard et faire un ramdam à réveiller un mort, alors j'ai vite enfilé mon manteau, murmuré ciao et quitté la ferme avec la Volvo dans un nuage de poussière.

— Tu vas où ? a-t-il gueulé, mais je lui ai juste adressé un petit signe de la main. J'avais même mis du vernis à ongles, chose qui ne m'est pas arrivée souvent dans la vie.

Naturellement, je suis allée chez Märta. Elle a été pliée en deux de rire en voyant ma peinture de guerre mais je ne me suis pas laissé convaincre de me démaquiller, et du coup elle a posé une serviette derrière ma tête quand je me suis blottie dans le canapé. Elle m'a offert du thé vert aux vertus calmantes et nous avons bavardé un moment.

— Benny aurait été bien content s'il avait su que j'étais réveillée à l'attendre ! dis-je. Je l'ai imaginé en train de fourrer le nez au creux de la gorge de toutes les filles pendant les slows en avançant le bassin comme il fait parfois quand il danse, on ne peut pas éviter de s'y reposer si tu vois ce que je veux dire. Je me rappelle que ça me faisait un effet dingue, les quelques fois où on est allés à des fêtes où on a dansé – sans parler de l'effet que ça lui fait, à lui. Je me dis que ça doit marcher avec les filles de la Rotonde aussi. Violette prétend que c'était un vrai tombeur dans le temps !

— Je ne me fierais pas trop au jugement de Violette sur ce sujet ! dit Märta en pouffant. Elle trouve que Bengt-Göran est l'homme le plus craquant du monde ! Tu sais, la beauté est là où on veut bien la voir !

— En tout cas, j'ai réussi à résister à l'envie de l'accueillir avec le rouleau à pâtisserie quand il a débarqué à deux heures et demie du matin ! J'ai fait semblant de dormir à poings fermés.

Puis je me suis endormie sur le canapé de Märta, avec maquillage et tout. J'étais tellement fatiguée.

Cinq heures plus tard, je me suis réveillée, les seins prêts à éclater. Il était deux heures du matin et Märta dormait la bouche ouverte dans le fauteuil. La télé était toujours allumée.

J'ai rejoint la salle de bains et j'ai tiré le lait, suffisamment pour pouvoir bouger sans que ça me fasse mal. Puis j'ai dévalé l'escalier, je me suis jetée dans la voiture et je suis rentrée. Mon Dieu, Nils devait être dans tous ses états, et Benny aussi !

Effectivement. Quand j'ai approché de la ferme, la lumière s'est allumée dans l'entrée, Benny avait dû voir les phares. Il m'a accueillie à la porte avec un Nils hurlant dans les bras et ses yeux étaient tout noirs.

— Je vois qu'ils ne se sont pas gênés pour se frotter à tes cosmétiques ! furent ses premières paroles. Ça t'a plu au moins ?

Je me suis regardée dans la glace. Le mascara était étalé autour de mes yeux et le rouge sur tout le visage. D'une façon ou d'une autre, l'ombre à paupières avait migré sur mon front.

Sans un mot, j'ai pris Nils et je l'ai mis au sein. Il n'en pouvait plus à force de pleurer, il hoquetait et n'arrivait même pas à téter, j'ai chuchoté et fredonné pour le calmer pendant que Benny procédait à l'interrogatoire.

— Tu étais où, bordel ? Avec qui ? Tu t'es bien amusée ? Beaucoup ? Tu n'as pas lésiné sur le maquillage, comment ça se fait ?

Je lui ai craché de se taire.

— Est-ce que je t'ai posé des questions quand tu es rentré hier ? Va te coucher maintenant, tu te lèves tôt, je pense que pour moi, c'est cuit, je ne dormirai pas cette nuit.

J'ai failli dire "je ne dormirai *plus*", mais je me suis arrêtée à temps. Il n'avait pas besoin de le savoir.

Il était là, les bras ballants et tout un tas de questions furieuses inscrites sur la figure, mais je suis allée me coucher avec Nils dans la chambre d'Arvid.

J'ai eu le net sentiment que nos soirées dansantes étaient suspendues jusqu'à nouvel ordre.

34

Benny

Et il y a eu le printemps et l'été de la troisième année. La Crevette restait à la maison la plupart du temps, on n'avait pas trop les moyens d'utiliser la voiture autrement que pour l'indispensable. Les coliques de Nils se sont arrêtées et il est devenu le bout de chou le plus ensoleillé du monde, ce qui a permis à Désirée de me relayer pas mal dans l'étable. Elle le posait dans le râtelier d'un box à veau vide et il restait là à gazouiller et à sucer ses petites menottes pendant la traite.

Arvid s'était calmé, il avait été jaloux comme un danseur de tango argentin depuis la naissance de Nils. Pendant tout l'hiver il avait fallu veiller à le tenir à l'écart du berceau, il s'y faufilait tout le temps avec toutes sortes d'objets pointus qu'il voulait utiliser sur le bébé. Désirée avait pris l'habitude de brandir Nils en l'air quand Arvid arrivait avec un sourire cajoleur et une arme quelconque derrière le dos. Dès qu'on ne les surveillait pas, des cris désespérés se faisaient entendre du côté du berceau de Nils. On se précipitait pour trouver Arvid, la lèvre inférieure tremblant de déception. "Zuste pincer un peu ?" disait-il plein d'espoir.

Je pouvais presque le comprendre. Des sentiments primitifs agitaient mon cœur aussi quand le petit braillard accaparait Désirée. Il arrivait qu'on se réfugie dans la cuisine, Arvid et moi, pour nous consoler avec un sandwich, comme deux prétendants dédaignés, quand elle ne levait même pas les yeux alors qu'on faisait de notre mieux pour être drôles, tous les deux.

Avec le printemps, Arvid a commencé à me suivre comme une ombre, il avait presque deux ans, c'était un petit monsieur prudent. La Crevette avait toujours peur qu'il se fasse écraser par une machine. J'ai proposé qu'on le garde attaché à un câble trolley pour chien dans la cour, elle m'a jeté un regard tellement noir que j'ai construit pour Arvid un petit enclos avec un bac à sable à l'intérieur. L'ensemble était mobile, comme ça il restait près de moi dans la journée quand je bricolais les machines quelques heures pendant que Désirée s'occupait de la traite. Je pouvais l'emmener dans un pré aussi quand j'avais des clôtures à réparer. Sa première phrase distincte que j'ai pu déchiffrer a été "tatio filetric", on n'arrêtait pas de lui dire de faire attention au fil électrique.

Quand les labours de printemps ont commencé, c'en était évidemment fini de l'idylle. C'est le moment où on est sur le tracteur pratiquement vingt-quatre heures sur vingt-quatre, on n'est pas bon à grand-chose quand on rentre sur des jambes flageolantes tard le soir. La Crevette était tout aussi épuisée, deux enfants en bas âge et la pleine responsabilité de la traite. Et une fois qu'on avait lâché les bêtes dans les prés, il arrivait aux veaux de s'échapper, la nuit la plupart du temps. Ils meuglaient et farfouillaient autour de la maison et je devais réveiller la Crevette ; on se levait pour les remettre au pâturage, elle avait le regard brouillé de fatigue, le visage gonflé de sommeil avec l'empreinte nette d'un coin d'oreiller sur la joue. Je me rappelle qu'elle disait : "C'est comme si j'avais épousé un galérien et que je m'étais enchaînée à la rame d'à côté…"

On avait de beaux moments aussi, des jours où on se promenait au crépuscule et planifiait les améliorations à apporter à la ferme, des rationalisations du boulot pour arriver à des heures de travail plus humaines. Pendant une courte période, Désirée lisait *Le Pays*, deuxième partie, avec l'enthousiasme du débutant et elle avait des visions d'un robot de traite Lely, ou d'un carrousel permettant trois traites par vingt-quatre heures. Quand je lui ai dit combien coûtaient ces installations, elle s'est tue un instant, puis elle nous a imaginés en organisateurs de safaris de survie pour chefs d'entreprise au bout du rouleau… Et après avoir lu que la ferraille se vendait très bien au kilo, elle a regardé notre cour : "Tu te rends compte, Benny, on est assis sur une mine d'or…"

Chaque fois, j'ai été obligé de tempérer son enthousiasme. Qui allait démarrer une entreprise spécialisée en survie ? Elle, entre deux allaitements ? Quel ferrailleur ferait le chemin jusqu'ici pour trier le peu que j'avais ? Et tant que le prix du lait restait instable avec une tendance à la baisse, ce serait difficile de faire de nouveaux investissements. Elle a fini par se lasser et n'a plus fait de propositions. Elle a cessé de lire *Le Pays* deuxième partie aussi. Encore aujourd'hui, je ne sais pas si je n'aurais pas dû la laisser dans le paradis des visions, peut-être se serait-elle davantage intéressée à la ferme. Je me suis rendu compte que lentement tout cela devenait une routine pesante pour elle. Elle ne parlait plus de robot de traite, elle se bornait à bichonner son petit carré d'herbes aromatiques, les pitchouns sur une couverture à côté d'elle. Parfois elle les emmenait à la baignade. Je ne pouvais jamais venir avec eux, quand il ne pleuvait pas il fallait faucher les prés, ou rentrer les foins.

Mais une fois on est allés se baigner dans un lac sous une pluie torrentielle, uniquement parce qu'elle se l'était mis dans la tête. Il n'y avait rien que je pouvais entreprendre à la ferme de toute façon. Maman n'aurait jamais fait un truc pareil, mais c'était assez impressionnant. Elle nous a lu un poème sur la pluie aussi, il n'y avait pas le moindre vent et on voyait les gouttes tomber sur la surface de l'eau. Nos petits gars étaient assis dans une cabane de bouts de plastique qu'elle avait construite, ils regardaient tout avec de grands yeux.

C'est ce souvenir d'été qui m'est resté. Si on demandait à Désirée, elle se rappellerait sans doute qu'on est allés à une foire agricole aussi, toute une journée, et qu'on est rentrés avec de nouvelles poignées pour la clôture électrique. En cachette, Désirée m'a acheté un DVD de tracteur-pulling, des monstres bricolés maison de 400 chevaux avec des moteurs V8 qui grondaient au son d'une musique de tracteur, une composition inédite. Ça avait des noms comme Big Dave et Giant Swede et elle s'est moquée de moi quand je me suis précipité pour le regarder dès qu'on était rentrés. "On dirait que tu vas mater un film porno ! Si un jour tu as des problèmes d'impuissance, on n'aura qu'à passer Giant Swede !" a-t-elle pouffé.

Je pense qu'on était globalement éreintés mais heureux cet été-là. On était en bonne santé, Nils se trouvait entre la période coliques et la période otites et il dormait bien la nuit, elle n'avait pas besoin d'aller travailler en ville et c'était l'été. Je ne me rappelle qu'une seule fois où elle s'est fâchée tout rouge. Deux propriétaires de chevaux qui voulaient acheter du foin étaient arrivés dans la cour dans leur BMW bleu nuit juste quand elle sortait de l'étable. Moi, j'étais parti bosser sur une parcelle quelque part.

Ils ont demandé en la regardant comme si elle n'existait pas :

— Il n'y a personne ?

— Si, il y a moi, a-t-elle répondu, un peu surprise.

— Aha, mais le propriétaire ?

— Je suis une des propriétaires.

— Ah bon, oui, mais quelqu'un qui travaille ici ? Là, elle a commencé à se fâcher.

— Je travaille ici ! Je viens de traire les vaches !

— Aha… mais… *un homme* ! ont-ils fini par dire.

Ils devraient remercier leur bonne étoile d'avoir eu la vie sauve. Elle avait la fourche à la main.

35

Désirée

Il y a eu des instants où je me suis dit que j'allais devenir folle si je n'avais pas quelques heures, juste deux ou trois, pour moi !

Les femmes du village disaient que c'était rentable d'un point de vue travail d'avoir ses enfants rapprochés – ils peuvent jouer ensemble, ils sont en phase pour les activités. C'est du boulot au début, mais ensuite c'est fait ! Certaines *savaient* que ça allait être chaud et elles s'y étaient quand même exposées de leur plein gré. Moi, si j'avais su à quel point ça allait être lourd, Nils n'aurait jamais existé.

Quelle chance, je ne le savais pas !

Ne serait-ce que de les trimballer tous les deux ! Ils ne pouvaient pas marcher très longtemps, ni l'un ni l'autre, si bien que j'installais Nils à moitié assis dans le vieux landau et Arvid sur un siège ajouté dessus. Il aurait sûrement été plus facile de manœuvrer un attelage de quatre chevaux fougueux. Arvid se balançait de tous les côtés et essayait de temps en temps de pincer son frère en douce, Nils voulait se redresser et il luttait tout le temps pour s'échapper du nid d'ange. Et les quantités inouïes de couches qu'il fallait transporter dans les deux sens ! Vers la fin de l'été, Arvid a montré des signes de ne plus avoir besoin de couches, puis il a fait une rechute. Une fois quand je venais de l'habiller, un pantalon tout neuf, il s'est oublié. Il a été gêné quand je m'en suis rendu compte et a eu le toupet de prétendre que c'était Nils qui avait fait caca dans son pantalon !

Mais le plus éprouvant, c'était de ne jamais pouvoir relâcher l'attention. À tout moment il fallait savoir où ils étaient. Et s'il y avait un grand silence, on pouvait être sûr que l'un d'eux était en train de faire une bêtise. Pour aller aux toilettes, j'étais obligée d'emmener les deux, s'ils étaient réveillés – même lorsque les manies meurtrières les plus aiguës d'Arvid avaient cessé.

Benny s'offrait une attitude bien plus détendue. Une fois en revenant de l'étable, j'ai trouvé Benny profondément plongé dans le journal alors qu'Arvid était monté sur la table à côté de lui et mangeait du sucre directement à la cuillère dans le sucrier. Nils était sous la table, il grignotait paisiblement un fil électrique avec ses incisives tranchantes… Quand j'ai poussé une gueulante, Benny a seulement rigolé en me disant de me calmer, puis il a raconté une histoire idiote. Un voisin, paysan lui aussi, était allé faire un tour de vélo avec l'un de ses nombreux enfants dans un siège sur le porte-bagages. Une connaissance qu'il a croisée lui a demandé l'âge du petit, il a contemplé l'enfant et répondu : "Trois ans et des poussières ?" "Ça ne me paraît pas possible, il doit être plus jeune que ça !" a dit la connaissance. Notre voisin a regardé son môme de nouveau et a dit : "Ça alors, j'aurais emmené celui de l'année dernière ?" Benny a ri de bon cœur de son histoire, pour ma part j'ai trouvé qu'elle était un peu trop près de la réalité pour être vraiment drôle.

Je n'aimais pas laisser les enfants avec lui trop longtemps. Un jour il parlait tranquillement au téléphone, je crois qu'il commandait du fourrage. Derrière son dos, Nils était en train d'apprendre tout seul à grimper le très raide escalier. Il venait juste d'arriver à la douzième marche, tout content de lui, il tanguait dangereusement. J'ai poussé un cri et j'ai juste eu le temps de l'attraper quand il est tombé en arrière. "Tais-toi, tu ne vois pas que je suis au téléphone !" a rugi Benny sans se retourner.

Quand je lui ai tiré les oreilles, il a eu le culot de se plaindre. Il disait que je n'arrivais jamais à me détendre et lui confier la responsabilité des enfants.

— Si tu en veux la responsabilité, il faut qu'on ait au moins dix enfants ! ai-je reniflé.

— Pourquoi ?

— Parce qu'il faudra compter sur une certaine perte !

— Petite nature, a marmonné Benny. Il ne s'est rien passé !

Vers le milieu de l'automne quand j'ai commencé à laisser les enfants à la crèche, j'ai réalisé que s'ils étaient sales ou si leurs vêtements étaient tachés, ce serait à moi de me sentir gênée en venant les chercher, même si c'était Benny qui les avait déposés dans cet état. De temps en temps c'était lui qui les emmenait, et il n'était jamais très regardant. Plus d'une fois j'ai été embarrassée au point de ne plus savoir où me mettre en réalisant qu'il les avait livrés tels quels alors qu'ils s'étaient traînés dans l'étable à quatre pattes. Si nous étions en ville, dans un magasin, et qu'ils commençaient à pleurer, tout le monde me jetait des regards à moi, pas à Benny. Ils étaient en quelque sorte sous ma responsabilité dans toutes les situations, point final.

C'est vrai que ça fait un peu misérabiliste, et les enfants m'ont effectivement vidée de toute énergie – mais à chaque instant j'étais persuadée au fond de moi que c'étaient eux qui donnaient un sens à ma vie, n'allez pas croire autre chose. Et ils me faisaient rire, tous les jours ! J'étais une mère du genre renarde. Si quelqu'un avait essayé de toucher mes petits du bout d'un doigt, je lui aurais planté mes crocs dans le jarret sans lâcher prise.

À la mi-novembre est arrivé le jour de mon retour à la bibliothèque. J'avais déposé les garçons à la crèche et étais allée en ville dans une voiture bizarrement vide. Je me rappelle le luxe que ce fut de me promener entre les rayons, tranquillement, sans avoir à tourner la tête dans tous les sens comme une chouette pour vérifier où ils étaient. M'asseoir avec le journal pendant la pause déjeuner… aller aux toilettes toute seule… déjeuner avec mes collègues et parler avec eux sans être dérangée…

Bref : il n'y a rien de plus stressant qu'être parents d'enfants en bas âge. Si, peut-être travailler dans la tour de contrôle d'un aéroport international. Avec du brouillard et l'espace aérien rempli de jumbo-jets.

Mais même les aiguilleurs du ciel rentrent chez eux prendre du repos pendant quelques heures.

On ne sait pas cela quand on décide d'avoir des enfants, et tant mieux. Parce qu'on ne sait pas non plus qu'on est tous capables d'un tel amour inouï, on n'y est pas préparé. Subitement grâce à eux, la vie prend toutes ses dimensions.

36

Benny

Eh oui, un beau matin elle a pris la Volvo et elle est partie sur les chapeaux de roues.

Je le savais pourtant. Elle avait trouvé des places pour les garçons à la crèche, leur avait acheté de nouveaux vêtements et de petits sacs avec des pantalons de rechange, elle s'était acheté un truc à se mettre aussi, elle était même allée chez le coiffeur pour une fois.

Mais quand même ! Elle était à la maison depuis si longtemps. Deux ans, à part quelques mois l'année d'avant. Ça a fait un vide incroyable.

Plus de petit-déjeuner qui m'attendait quand je revenais de l'étable. Plus de mômes dans mes pattes qui cherchaient à grimper sur mes genoux. Il faisait froid dans la maison aussi – Désirée n'avait pas le temps d'allumer le poêle le matin, il fallait qu'elle habille les enfants et qu'elle les dépose à la crèche. Si bien que je me suis retrouvé là dans ma maison froide, à boire du café instantané avec l'eau chaude du robinet comme avant. Comme pendant mes années de célibataire entre la mort de maman et l'entrée de Désirée – non, d'Anita.

Bon d'accord, je pouvais lire le journal sans être dérangé le matin. Et dans l'après-midi, tout redevenait normal quand ils rentraient en trombe et que la maison reprenait vie. Mais les journées étaient plus solitaires que jamais.

Autrefois je descendais chez Bengt-Göran discuter le bout de gras pendant une heure tous les jours. Mais depuis l'arrivée de Kurt-Ingvar, j'y allais de moins en moins souvent. Violette travaillait surtout la nuit, si bien que soit elle dormait, soit elle s'appliquait comme un dragon à surveiller son intérieur propret. Elle n'aimait pas l'odeur de vaches dans la maison, et je ne me donnais pas la peine de me doucher et de me changer avant de faire un saut chez eux. Quand elle dormait, elle ne voulait pas de bruit. Les rares fois où j'y suis allé, je restais en général sur le tracteur et Bengt-Göran sortait dans la cour et on échangeait quelques banalités. Jusqu'à ce que Kurt-Ingvar arrive et que le visage de Bengt-Göran éclate en un sourire. Il ne se rendait même pas compte de mon départ.

Quelle poisse de ne pas avoir des valets de ferme à commander, ils me tiendraient compagnie ! J'ai fait une tentative une fois. Par l'intermédiaire de Jeunes Agriculteurs j'ai accueilli un mec qui faisait un stage. Il venait de Lettonie et il devait vivre avec nous et travailler avec moi dans l'étable. En fait il était pharmacien, il avait pris ce boulot uniquement pour voir le monde et se faire un peu de devises de l'Ouest. Il avait deux mains gauches et avait appris l'anglais en écoutant de vieux morceaux d'Abba, si bien que la conversation est restée assez limitée. Et j'ai été obligé de lui préparer du porridge et le servir au petit-déjeuner, on était loin des buffets de Désirée. Ça m'a fait assez bizarre d'être aux petits soins pour un homme, j'avais essayé de persuader Désirée de laisser sur la table de quoi se faire des tartines honnêtes avant qu'elle parte le matin, mais elle m'a regardé comme si j'étais un extraterrestre. Toujours est-il qu'au bout d'un mois, le Letton a trouvé un boulot comme apprenti pharmacien à Hambourg, et je n'ai jamais renouvelé l'expérience.

Parfois je jouais avec l'idée de faire un autre enfant à Désirée, pour qu'elle revienne à la maison. Mais après une petite bavure le soir du réveillon de Noël, elle était très à cheval sur la protection, c'est à peine si elle me laissait approcher quand elle trouvait que c'était risqué. D'accord, ça aurait sans doute été comme de pisser au lit parce que ça réchauffe – au bout d'un moment c'est froid de nouveau. Trois marmots de moins de quatre ans – et le troisième pourrait très bien être encore un bébé à coliques.

Je savais que pour l'instant on dépendait de l'argent qu'elle gagnait. Elle avait directement repris un plein temps pour qu'on puisse enfin se débarrasser de cette foutue dette UE.

Non, mieux valait essayer de faire en sorte qu'elle se trouve un boulot à faire à la maison. J'ai avancé l'idée une fois ou deux, en douceur, quelque chose dans le genre de ce que faisait Violette avec sa vente de maquillage, ou elle pourrait accepter des retouches de couture à domicile ou un truc comme ça, plusieurs boulots en même temps devraient bien rapporter un peu. Il faut être inventif quand on est exploitant agricole moderne ! Tante Gun-Britt faisait des broderies pour l'Artisanat Suédois, ce n'était pas très bien payé mais elle n'avait pas de frais. Et parfois elle préparait du *tunnbröd** et du palt qu'elle vendait à une auberge.

Mais quand j'essayais de semer ce genre d'idée en Désirée, elle me lançait toujours son regard d'extraterrestre.

Il arrivait qu'elle termine assez tôt, avant l'heure de l'étable. Elle prenait le bus ces jours-là pour se rendre au travail, ça collait bien. Alors je venais parfois la chercher avec la Subaru, mais j'ai eu à le regretter. Je me garais devant la bibliothèque et restais là à regarder par les grandes baies vitrées, et souvent je voyais Désirée avec ses collègues et les gens qui venaient emprunter des livres. La voir là me rendait bizarrement inquiet, elle avait l'air si joyeuse quand elle parlait et riait et elle bougeait avec tant d'aisance – sans parler de son physique. Elle avait fait un petit effort, et elle était assez canon. Elle ne faisait jamais ça à la maison ! Elle semblait tout simplement comme un poisson dans l'eau. Au début, en rentrant du boulot, elle pouvait bavarder des heures durant de tous les trucs qu'elle et cet Olof allaient démarrer, des festivals de films pour enfants et des cabanes du conte et je t'en passe et des meilleures. Mais ensuite elle a arrêté d'en parler. Je n'ai jamais montré d'enthousiasme, je voyais

* Du pain d'orge en feuilles très minces, spécialité du Norrland.

tout le temps ce con grisonnant et elle, les têtes penchées sur un de leurs projets.

Et quand elle pleurnichait parce que les bibliothécaires étaient mal payés, ça me foutait en rogne. À remuer des papiers, elle gagnait plus du double de l'heure que moi à m'épuiser sur l'exploitation !

CINQUIÈME ANNÉE

Passage d'un front froid

37

Désirée

— J'ai vomi ! dit Arvid joyeusement. Effectivement. Sur mon tailleur-pantalon tout neuf, sur la combinaison de Nils et sur lui-même.

C'était mon troisième jour de travail. Enfin, ça aurait dû l'être. Il l'a fait quand je me prenais trois minutes dans la salle de bains pour mettre du rouge à lèvres, avec Nils qui rouspétait dans mes jambes.

Je ne pense même pas qu'il se soit senti spécialement mal, il a seulement réagi à quelque chose. Le changement, peut-être. Il est resté à la maison la plus grande partie de sa vie, et il ne savait sans doute pas trop quelle place occuper à la crèche. Alors que le petit Nils s'est jeté dans la pagaille de la salle remplie de coussins avec un hurlement de bonheur, Arvid est resté près du mur à regarder pensivement les autres enfants jouer.

J'ai été jusqu'à imaginer qu'il avait déjà adopté la philosophie moraliste de Benny. C'est quoi ces balivernes et futilités ? N'y a-t-il personne pour travailler ici ?

Quand ils lui ont proposé de tisser de petits bouts de tapis, il s'est calmé. Ensuite ils n'ont pas pu l'arrêter, il tissait les tapis à la chaîne comme un pauvre enfant esclave en Asie. Les autres mômes le regardaient avec de grands yeux, ensuite ils ont apparemment été impressionnés par son zèle maniaque et ont voulu tisser, eux aussi. À la fin, toute la crèche s'était transformée en usine à tapis, le personnel n'arrivait plus à faire sortir les mômes au bac à sable, tout le monde craignait une visite de l'inspecteur du travail…

Ou alors il s'est agi d'un vomissement par procuration. Il a aidé Benny à saboter ma vie professionnelle. Parce qu'il ne faut pas se leurrer : Benny avait très envie de vomir, lui aussi.

Chaque matin quand je partais avec la voiture, il sortait un instant de l'étable et restait à me regarder, les épaules basses et la mine d'un épagneul breton maltraité. Et il me faisait les suggestions les plus absurdes : il aurait vu d'un bon œil que je reste à domicile à fabriquer des petits tapis, moi aussi. Pour pouvoir servir son somptueux buffet de petit-déjeuner, alimenter le poêle deux fois par jour, travailler dans l'étable à la carte et avoir du café au chaud à toute heure du jour et de la nuit.

Je pense qu'il était simplement terriblement en retard sur son temps. Bien sûr que je pourrais me faire de l'argent de poche avec des petits boulots à domicile, mais je ne connais personne qui gagne sa vie à notre époque en faisant des retouches de couture ou en préparant du palt, occupations pour lesquelles je n'ai pas la moindre compétence par ailleurs. J'ai marmonné qu'il voulait peut-être aussi que j'aille au lavoir avec le linge des bourgeois et que je tresse de petits bijoux avec mes cheveux que j'irais vendre à la Grande Ville… et il s'est illuminé comme si c'étaient des propositions sérieuses.

J'aurais sans doute pu faire entrer le même argent de poche en faisant différents travaux d'écriture. Des critiques, des rapports de recherche, des traductions, ce genre de choses. Mais la vérité n'est pas seulement qu'un CDI à temps plein paie mieux – je n'avais pas envie de travailler à la maison avec deux enfants tirant sur mon tablier, plus toutes les autres contraintes simultanées. J'avais envie de retrouver mon lieu de travail, de m'attaquer à quelque chose qui me passionnait, de trouver une sérénité sans enfants et du bavardage à midi avec des gens qui partageaient mes centres d'intérêt.

Il l'a apparemment subodoré. C'est probablement pour ça qu'il traînait dans la voiture devant la bibliothèque parfois et vérifiait mes faits et gestes. J'ai été agacée au plus haut point contre lui tout en ressentant une immense tendresse, j'ai voulu le frapper et le serrer dans mes bras en même temps.

Il s'est mis à me lancer des piques de plus en plus souvent, laissant entendre que j'avais négligé quelque chose. Encore de la saucisse ? T'as pas vu que les moufles d'Arvid sont trouées ? Il n'y a pas moyen d'avoir des chaussettes *propres* dans cette maison ? Et quand j'essayais de dire que j'avais travaillé huit heures, passé une heure à faire les courses, une dans la voiture et que j'avais ensuite préparé le dîner pour toute la famille plus le Letton affamé, il a seulement dit sur un ton léger :

— On se reposera dans le caveau de famille !

Une fois, il m'a sorti que tout ce que je cherchais, c'était de me Réaliser, que je me fichais éperdument des enfants et de lui. Je l'ai rembarré en lui demandant ce qui le motivait à tant bosser dans l'étable. Le salaire mirobolant à la fin du mois ?

Puis nous n'en avons plus parlé. Peut-être avions-nous senti que nous avions envie de nous réaliser tous les deux.

Quand il a fait venir son stagiaire cireux de Riga pour lui tenir compagnie, j'ai failli péter un plomb. Il mangeait comme un ogre et il était très à cheval sur la propreté. Tous les soirs il abandonnait par terre dans notre salle de bains les vêtements qu'il avait portés dans la journée en s'attendant à les trouver propres et repassés le lendemain matin, et il utilisait toute l'eau chaude, elle était toujours glacée quand je rentrais. J'allais justement me plaindre de ça à Benny quand il est venu me dire que "désormais il faut que tu veilles à ce qu'il y ait de quoi manger sur la table le matin avant de partir, je n'ai pas le temps d'être à ses petits soins !"

Ce fut la première fois que j'ai lancé un objet sur Benny. J'ai choisi son vase affreux en porcelaine qui ressemblait à un vieux godillot.

38

Benny

Il y a le 11 septembre 2001, le 26 décembre 2004 et quelques autres dates que nous n'oublierons jamais. Des jours de grandes catastrophes.

Pour moi, ça a été un samedi 17 février. Un jour morne et anonyme au cœur de l'hiver, la Saint-Alexandra, le temps était gris et brumeux après une période anticyclonique, une neige fraîche et blanche recouvrait la vieille croûte gelée et il faisait environ moins cinq degrés. Le manque de sommeil me faisait frissonner quand je me suis rendu à l'étable ce matin-là, je n'avais dormi que quelques heures. Je m'étais réveillé vers trois heures du matin, Désirée était assise sur notre lit et pleurait de fatigue. Nils avait mal à l'oreille et avait hurlé toute la nuit. Elle avait essayé de pousser le landau dehors dans l'obscurité sur la neige fraîche comme lorsqu'il était tout petit et qu'il avait des coliques, et ensuite elle avait marché dans la maison en le tenant contre son épaule et il n'avait pas arrêté de pleurer. Et là, elle était assise sur le lit et laissait simplement les larmes couler.

Je me suis levé et j'ai pris la relève, j'ai commencé à arpenter le salon avec Nils, la petite chambre, la cuisine, le salon, dans un sens puis dans l'autre. Il était brûlant à force de crier comme ça, des heures durant. Il avait beaucoup hurlé au cours de sa courte vie, ce petit garçon, d'abord pendant quelques mois à cause des coliques et ensuite parce qu'il faisait des otites sans arrêt. En général, je ne le prenais pas la nuit, j'avais besoin de mon sommeil pour travailler, si bien que Désirée se couchait avec lui dans la petite chambre quand il pleurait. Et parfois Arvid se réveillait et allait se glisser à côté d'elle aussi. Mais cette fois, de la voir pleurer toutes les larmes de son corps… c'était déconcertant.

Vers cinq heures, Nils a battu des cils et s'est tu un moment, et miracle des miracles, il ne s'est pas réveillé quand je l'ai posé dans son petit lit. J'ai envisagé de dormir le peu de temps qui me restait de la nuit, mais j'ai vite compris que ce serait encore pire d'essayer de me réveiller une heure plus tard, et je me suis fait un Nescafé tellement corsé que la cuillère tenait presque toute seule au milieu de la tasse. Puis je suis sorti m'occuper de la traite. Les vaches étaient lentes à démarrer, elles ont leur horloge dans le ventre, mais j'ai fini par y arriver. J'ai apporté l'ensilage pour la traite du soir et tout préparé, puis je suis allé déblayer un peu de neige. J'avais l'intention de faire une sieste plus tard dans la journée, pour rattraper mon sommeil.

J'ai avancé le tracteur, fait le plein de fuel et allumé la radio qui diffuse directement dans le casque de protection. Puis j'ai commencé à déblayer. Il était à peu près neuf heures du matin. Aucune lampe n'était allumée dans la maison.

J'ai poussé la neige en un grand tas vers le mur de l'étable. En avant, en arrière, en avant, en arrière avec la grosse lame, le mouvement monotone me donnait encore plus envie de dormir. J'ai remarqué que la combinaison d'Arvid était dehors dans la neige et je me suis demandé ce qu'elle foutait là, il faudrait que je me rappelle de la rentrer tout à l'heure.

Puis je ne me souviens de rien de plus avant de voir une main, un poing fermé qui tapait sur le pare-brise. J'ai ôté le casque et coupé le moteur. Et alors j'ai entendu un cri à vous glacer jusqu'à la moelle des os. C'était Désirée.

Elle a ouvert la portière tout en criant, criant et en montrant la neige. Elle montrait la combinaison d'Arvid.

— Putain, qu'est-ce que… ? J'ai sauté en bas et je suis allé voir.

Je n'arrive presque pas à le formuler.

Ce n'était pas la combinaison d'Arvid.

C'était Arvid.

Je lui étais passé dessus avec la roue arrière du tracteur. La grande.

Il était là, les yeux fermés, aussi blanc que la neige. Moi aussi j'ai commencé à crier.

— Merde, merde, comment t'as pu le laisser sortir sans me prévenir ? Putain, Désirée, une mère ne fait pas ça !

Un réflexe immédiat. Accuser quelqu'un d'autre. Repousser la faute. Pas penser, juste parler. Crier et frapper. Je l'ai presque frappée.

C'est elle qui m'a frappé. Elle a tapé avec ses poings fermés, en hurlant.

— C'était toi ! Tu l'as écrasé ! Tu ne fais jamais attention ! Tu l'as tué !

À ce moment-là, au milieu du chambard, on a entendu un gémissement venant d'Arvid. Il était en vie, Dieu du ciel, mon enfant était en vie !

Je suis tombé à genoux et j'ai gratté toute la neige autour de lui. Désirée s'est précipitée dans la maison pour appeler une ambulance. Arvid a ouvert les yeux et m'a regardé, mais il n'a rien dit.

Les traces dans la neige montraient très nettement que la grosse roue arrière lui était passée dessus. Un tracteur de deux tonnes avait roulé sur un enfant de deux ans et il vivait encore. J'ai décidé que j'allais oser le soulever. Il n'y avait sûrement pas de temps à perdre. J'ai doucement glissé la grosse pelle à neige sous son corps et l'ai dégagé de la neige tassée. Puis je l'ai porté sur le siège arrière de la voiture et je l'ai soigneusement entouré d'une couverture. Je ne donnais pas cher à Désirée et sa foutue ambulance, à qui il faudrait une heure pour venir, j'aurais plus vite fait d'y aller moi-même. J'ai sauté derrière le volant et je suis parti en trombe. J'ai vu Désirée sortir sur le perron dans sa robe de chambre que la neige avait mouillée en bas. Elle agitait les bras et sa bouche n'était qu'un trou noir. Quelle conne ! Laisser un enfant de deux ans sortir tout seul dans une cour où un tracteur est à l'œuvre !

Je l'ai haïe pendant tout le trajet. Arvid gémissait à l'arrière et tant qu'il le faisait je savais au moins qu'il était en vie.

39

Désirée

Il y a une chose que je ne pourrai jamais lui pardonner. D'être parti tout seul avec mon enfant mourant, sans même demander si je voulais venir. Je l'ai vu sauter dans la voiture et ma première pensée a été qu'il se sauvait, me laissant tout gérer. Puis j'ai compris qu'il avait l'intention d'emmener Arvid à l'hôpital lui-même et je suis sortie et j'ai crié. Il ne s'est pas arrêté, il a descendu l'allée d'accès comme un malade.

Je suis rentrée pour appeler un taxi, je sanglotais tellement qu'ils ont eu du mal à me comprendre. Puis j'ai pris Nils qui pour une fois dormait profondément. Il s'est remis à pleurer quand je lui ai enfilé ses vêtements d'une main tremblante et que je l'ai fourré dans un nid d'ange. Le taxi a rappelé, il ne trouvait pas le chemin, c'est vrai qu'il n'y a pas de noms de rue ici et j'ai dû le guider au téléphone.

Le bonnet d'Arvid était par terre dans l'entrée et ses bottes avaient disparu. Il était tellement fier de savoir enfiler sa combinaison tout seul, bien qu'il n'ait que deux ans et demi. J'ai deviné ce qui s'était passé. Il s'était réveillé et était venu dans notre chambre où je dormais comme un sonneur après avoir veillé presque toute la nuit. J'avais un vague souvenir qu'il m'avait tiré par le bras et dit qu'il voulait manger. Mais avant d'avoir pu lui répondre, je m'étais rendormie.

Et alors il était sans doute descendu et avait réussi à attraper sa combinaison sur la patère, il l'avait enfilée et avait glissé ses petits pieds dans les bottes. Et il était sorti à la recherche de son papa. Toujours papa. Pour Arvid, son papa est tout au monde. Il est comme ça. Ou était. Ou est.

Le taxi est arrivé. J'ai sauté dedans et crié : "Je vais aux urgences !" Le chauffeur a voulu être sympa, il a dit quelques mots sur la cour qui était si bien déblayée, ça m'a fait fondre en larmes de nouveau. Nils pleurait aussi, sans doute parce que je le faisais. Le chauffeur a demandé ce qu'il avait et, irritée, j'ai répondu qu'il avait mal aux oreilles. Alors il s'est mis à déblatérer sur ses trois enfants qui avaient fait des otites tous les trois, et était-ce vraiment une raison pour se précipiter aux urgences ? Je lui ai crié de se taire, et ensuite je me suis calmée un peu et j'ai expliqué ce qui s'était passé. Et alors il n'a plus rien dit.

En arrivant aux urgences, je me suis ruée à l'intérieur avec Nils dans les bras. Le chauffeur a lancé des "Ohé" derrière moi et je me suis subitement rappelé que je n'avais pas payé et que je n'avais pas d'argent non plus. Dans une confusion que je peux seulement expliquer comme résultant de la panique, j'ai pivoté sur mes talons et je suis revenue lui tendre Nils, dans son nid d'ange. J'ai dû penser qu'il serait une sorte de gage jusqu'à mon retour.

À l'accueil, il y avait une fille enrhumée à moitié endormie qui semblait avoir dans les quinze ans. Cecilia indiquait un badge sur sa poitrine.

— Où il est ? hurlai-je. Où se trouve le petit garçon qui s'est fait écraser ?

— Ce n'est pas un garçon, c'est une fille ! me rabroua-t-elle. Et elle s'est simplement foulé la cheville ! Il vous faut prendre un ticket et vous asseoir, je vous appellerai quand ça sera votre tour !

— Mon tour ! C'est quoi, ces conneries ! Il n'y a que moi ici !

Elle hocha la tête en direction du chauffeur de taxi qui se tenait toujours là, figé de surprise, avec Nils dans les bras.

Je me suis ressaisie et ai expliqué la situation au chauffeur. Il l'a bien pris, comprenant sans doute qu'on ne peut pas s'attendre à se faire payer sur-le-champ par une femme qui ne porte qu'une robe de chambre. Puis je me suis attaquée à Cecilia. Elle venait de prendre son service, elle n'était au courant de rien, à part qu'elle avait fait le dossier d'une petite fille. J'ai pris Nils et j'ai commencé à courir dans le couloir et à ouvrir les portes des salles de soins. Elles étaient vides. Cecilia braillait des protestations dans mon dos.

J'ai trouvé Benny dans la troisième pièce. Une infirmière était assise à côté de lui, la main posée sur son bras. Il fixait le vide devant lui et semblait imperméable à tout contact.

— Où il est ? beuglai-je. Où est Arvid ? Il est en vie ? Salaud ! lançai-je subitement. Je me suis avancée et j'ai donné un coup de coude à Benny qui a failli tomber de la chaise. Alors il a tourné son regard sur moi et j'ai vu que ses yeux étaient devenus tout noirs.

L'infirmière s'est rapidement levée et interposée entre nous.

— Il est aux soins intensifs en ce moment, dit-elle. Il est entre de bonnes mains. Ils l'ont mis sous perf, ils vont l'opérer dès qu'ils auront fait les radios.

Si la situation n'était pas si épouvantable, ça aurait été comique, en tout cas vu de l'extérieur. Dans les séries télé et les films, on voit souvent les proches attendre, fous d'inquiétude, et ils se soutiennent et se serrent dans les bras et vont chercher du café pour tout le monde. Benny et moi, nous avons essayé de nous battre. Il m'a poussée à son tour et je lui ai arraché sa casquette et lui ai tiré les cheveux. Je m'en souviendrai toute ma vie.

L'infirmière m'a fait quitter la pièce au moyen d'une prise qu'elle a dû apprendre au judo, elle m'a tordu le bras dans le dos. Et je ne pouvais pas lâcher Nils.

Dans le couloir elle m'a dit sur un ton sévère :

— Votre mari est en état de choc, et vous aussi. Ce n'est pas le moment de vous disputer. Je vais vous conduire auprès de votre fils. Donnez-moi le bébé !

Elle m'a pris Nils et il s'est immédiatement endormi dans ses bras. Elle m'a conduite dans une chambre où j'ai pu voir Arvid à travers une fenêtre. Il était allongé sur le dos, les yeux fermés, si minuscule sur une longue civière, un goutte-à-goutte fixé à son petit bras et je ne voyais aucun signe de vie. Quelqu'un avait découpé sa combinaison, elle était par terre. Je me suis évanouie.

40

Benny

C'était la neige. Cette putain de neige qui me faisait pester tous les jours quand elle tombait tellement drue que je devais me lever à cinq heures du matin et déblayer l'accès à la ferme pour le camion de lait.

C'est la neige qui a sauvé la vie d'Arvid. Il a dû sortir en courant, se mettre derrière le tracteur et appeler son papa. Papa dans le tracteur qui écoutait la radio dans le casque de protection. Et qui reculait. Assez vite et négligemment, à moitié endormi comme j'étais – mais je savais qu'il n'y avait rien derrière. Et un rétroviseur ne détecte pas les bambins d'un mètre de haut à tout casser.

Arvid avait été enfoui par le tracteur dans la neige fraîche et molle et ses petits os souples avaient cédé à la pression. Un adulte n'aurait jamais survécu. Arvid avait trois côtes cassées, un poumon perforé et le bassin fissuré. C'était tout. Et ça serait guéri en deux mois, d'après le médecin. Ce qui s'est confirmé.

Il fallait plus de temps que ça pour guérir le mal qu'on s'était fait, Désirée et moi.

Elle est restée à l'hôpital, et Nils aussi, évidemment. J'ai pris la voiture et je suis rentré. Il était quatre heures, grand temps pour la traite du soir. Désirée ne m'a même pas regardé quand je partais, elle est allée directement vers la salle de réveil avec Nils dans ses bras. L'administration lui avait prêté une blouse.

— Apporte-moi quelques vêtements, a-t-elle seulement dit. Et de l'argent.

Violette et Bengt-Göran sont sortis de chez eux en courant quand je passais et je leur ai raconté. L'ambulance était venue faire demi-tour chez eux, un des ambulanciers leur avait signalé combien la fausse alarme allait nous coûter.

Je me foutais de tout. Jusqu'à ce que j'aperçoive le bonnet d'Arvid par terre. Il n'aime pas les bonnets, il l'enlève tout le temps, après l'avoir mis symboliquement. Je suis allé m'allonger sur le canapé et j'ai fixé le plafond, les larmes me coulaient dans les oreilles.

Des heures plus tard je me suis réveillé quand quelqu'un me secouait. Je n'ai pas compris où je me trouvais.

— Benny ? Benny ? a dit Bengt-Göran.

— C'est… c'est le matin ? Les vaches ? Arvid ? ai-je crié.

— Du calme, a dit Bengt-Göran. Je viens de traire les vaches, je m'occuperai d'elles demain matin aussi. Toi, tu pars à l'hôpital te renseigner sur l'état d'Arvid. Maintenant !

C'est ce que j'ai fait. Arvid avait une chambre particulière en pédiatrie, Désirée dormait sur une chaise à côté de lui, une couverture d'hôpital jaune tirée sur ses épaules. Je ne voyais Nils nulle part, mais j'ai entendu un hurlement dans le couloir.

Quelqu'un avait dû le prendre en charge, en voyant que sa mère était une épave.

J'ai doucement touché la main de Désirée. Elle a ouvert les yeux mais n'a rien dit, je n'arrivais pas à interpréter son expression.

— Il va s'en sortir ! ai-je chuchoté.

— S'il ne s'en était pas sorti, je me serais tuée, a-t-elle dit. Et je t'aurais tué, toi aussi !

Ma tête à couper qu'elle était sérieuse.

— Tu as cru que c'était ma faute, a-t-elle dit. Tu as cru que je l'avais habillé et laissé sortir dans la cour alors que tu conduisais le tracteur. Tu crois que je suis comme ça. Tu as dit qu'une mère ne fait pas ça !

— Tu as cru que je lui avais roulé dessus par pure négligence. Tu as dit que je ne fais jamais attention.

Il était évident que ce que nous nous étions dit était toujours là, gravé en lettres de feu dans le cortex.

— Désirée, il faut qu'on reste solidaires maintenant ! ai-je dit et je me suis agenouillé devant sa chaise en essayant de l'entourer de mes bras.

— Oui, a-t-elle dit, mais en se dégageant. Je dois aller chercher Nils.

Arvid dormait en respirant lourdement. Sans doute à cause du poumon perforé. Mes larmes sont tombées sur sa main et il a bougé un peu dans son sommeil.

Je suis allé voir l'infirmière de nuit. C'était la personne la plus correcte que j'aie jamais rencontrée dans ma vie, j'avais une de ces envies de la serrer dans mes bras, fort, fort, mais heureusement, je ne l'ai pas fait. Elle n'a pas dit un seul mot du fait que j'avais écrasé mon enfant. Elle a seulement promis de faire venir dans la chambre un lit supplémentaire pour Désirée et Nils. Je pourrais m'allonger sur une civière dans le local d'entretien.

Désirée est restée une semaine à l'hôtel des patients*, elle passait la journée auprès d'Arvid avec Nils sur les genoux ou par terre. Je n'arrêtais pas de l'appeler sur son téléphone portable mais elle ne répondait pas. Presque tous les jours je suis venu passer un moment en silence avec eux. Désirée était incapable de me parler, je crois qu'elle souffrait d'une sorte d'effondrement, c'est ce que croyait l'infirmière de nuit aussi. Elle lui a trouvé un rendez-vous avec un psychologue mais Désirée a refusé de quitter Arvid ne serait-ce qu'une minute.

Pour finir, Arvid a été autorisé à quitter l'hôpital. Il pouvait marcher tout seul, mais il avait la démarche d'un vieil homme. Ses mâchoires en revanche fonctionnaient à merveille.

— On peut aller à la crèche maintenant ? a-t-il dit. S'il te plaît, papa, s'il te plaît ? Je veux raconter à Lina ! Elle s'est seulement fait écraser par un vélo, elle !

J'ai éclaté de rire.

Désirée s'est mise à pleurer.

* Structure hôtelière à proximité d'un hôpital, destinée aux patients dont les soins ne nécessitent pas une hospitalisation classique. Les frais de séjour sont pris en charge par le département. Ces hôtels sont également ouverts à l'accompagnateur du malade, qui paie une petite participation.

41

Désirée

Il y avait une chose que Benny ne savait pas quand l'accident d'Arvid a eu lieu.

J'étais de nouveau enceinte. Nils n'avait qu'un an, Arvid en avait deux et j'étais enceinte de nouveau. Même une chienne de reproduction, on ne lui fait pas faire des portées aussi rapprochées.

Je venais de m'en rendre compte quelques jours avant l'accident. Non, pas de test – je reconnaissais suffisamment bien les seins douloureux, les nausées provoquées par certaines odeurs et la fatigue. Mais je n'avais pas encore eu l'occasion de le dire à Benny, il y avait l'otite de Nils, je vivais comme dans un brouillard.

Comment est-ce que ça avait pu arriver ?

Je crois que c'était au réveillon de Noël. Notre vie amoureuse était devenue un peu aléatoire avec deux enfants en bas âge à la maison – nous avions dû renoncer aux longs préliminaires sachant que nous pouvions à tout moment être interrompus par Arvid qui voulait faire pipi, et s'il ne nous le faisait pas savoir lui-même, nous l'avions constamment en tête. Nous avions tout intérêt à atteindre la ligne d'arrivée au plus vite.

Mais au réveillon de Noël les garçons s'étaient endormis épuisés tous les deux vers neuf heures du soir. Je me suis mise au lit affublée d'une épouvantable chemise de nuit rouge en dentelle achetée par correspondance, qui avait des trous pour les tétons, c'était le cadeau de Noël de Benny. Il avait des yeux comme des billes, pour la première fois depuis que j'avais arrêté d'allaiter. Et son enthousiasme était contagieux. Nous ne nous serions rendu compte de rien si le Père Noël en personne était descendu par la cheminée avec ses rennes et tout. Et nous avons oublié tout ce qui avait trait aux contraceptifs. Totalement oublié.

Pendant le séjour d'Arvid à l'hôpital, j'ai tout refoulé, gardant ça seulement dans un coin du cerveau comme une sorte de menace, vaguement liée à Benny. Je pense que je n'avais pas toute ma tête pendant cette période. Si je l'avais eue, j'aurais évidemment pardonné à Benny, mais mes sentiments n'arrivaient pas à suivre, et ce qui ne venait pas améliorer le tableau, c'est que je le tenais aussi pour responsable en quelque sorte de mes nausées, ma fatigue et mon découragement. J'ai dû lutter tellement fort pour ne pas lui montrer à quel point je lui en voulais. Chaque fois que notre numéro de téléphone s'affichait sur mon portable, quand j'étais à l'hôtel des patients, une vague glaciale d'aversion courait des épaules jusqu'à ma nuque. Salaud de Benny. Et je ne répondais pas.

Il venait à l'hôpital quand même, mais je n'avais qu'à voir sa veste accrochée dans le couloir devant la chambre d'Arvid pour que mon ventre se retourne. Et lorsque finalement nous avons pu quitter l'hôpital, quand j'ai compris que nous garderions Arvid et que tout retournerait à la "normale" – eh bien ça s'est abattu sur moi comme une chape de plomb et je me suis mise à pleurer.

Il fallait que je prenne une décision.

Est-ce que je serais à la hauteur, est-ce que j'aurais la force d'avoir un autre enfant si près des deux premiers ? Avec Arvid qui allait demander beaucoup de soins avant d'être complètement rétabli, avec Nils et ses perpétuelles otites ? Tout en travaillant à plein temps à la bibliothèque et en aidant Benny le week-end ? Une grossesse en plein été par-dessus le marché, lourde, fatigante, avec énormément de travail à la ferme et deux enfants en bas âge ?

Je ne pouvais tout simplement pas demander à Benny. Je savais d'avance ce qu'il dirait, ce qu'il disait toujours quand je m'inquiétais de tomber enceinte de nouveau :

— Un enfant de plus, c'est bon à prendre ! Dans ma maison, ils sont tous les bienvenus ! L'agriculture exige de nombreux bras !

Trouvez cinq erreurs là-dedans !

Non, avais-je envie de crier, un enfant de plus n'est pas bon à prendre quand on n'est pas à la hauteur pour ceux qu'on a déjà ! Je veux être à la hauteur pour Arvid, que j'ai failli perdre. Et si Rönngården est Ta Maison, où est la mienne alors, où est passée ma vie ? Est-ce que je n'existe que pour élever de la main-d'œuvre pour ta ferme ? Il faut des bras pour s'occuper des enfants aussi, et je n'en ai que deux !

Il y a eu un grand silence entre nous quand nous sommes rentrés. Plusieurs fois j'ouvrais et fermais la bouche comme un poisson, sur le point d'évoquer la question avec lui – mais je m'arrêtais à chaque fois. Car je savais quelle chanson j'allais entendre. Nous avions déjà eu cette discussion. "Mais Benny, c'est énormément de travail, les enfants, je ne sais pas si j'en ai la force !" "Bah, plus on est de fous, plus on rit ! Il n'y a qu'à rajouter une assiette à table ! Et les vêtements, on en a déjà des tas et des tas, et le siège auto n'est pas encore usé, où est le problème ?"

Et puis avec mépris, si j'hésitais encore : "Mais tu mets peut-être ta carrière avant tout ça ? Ou tu trouves qu'on ne va plus assez souvent à l'opéra ?"

C'était tellement injuste que j'eus envie d'attraper sa tignasse d'une main solide et de balayer la cuisine avec. Mais à vrai dire, la plupart du temps il n'était pas aussi lourdingue, ça arrivait surtout quand il terminait tard le soir, qu'il rentrait mort de fatigue, les oreilles remplies du vacarme du tracteur. Alors il trouvait que moi, je flottais dans un paradis de bien-être, les enfants dormaient, ça sentait bon la cuisine, tout était calme et silencieux, la cuisine était rangée, le lave-vaisselle susurrait son clapotis tranquille, il pouvait se décrotter et se laisser glisser dans un coin du canapé avec le journal et une bière. Le journal que je n'avais jamais le temps de lire sauf au boulot, la bière que j'avais ramenée à la maison dans des packs qui pesaient des tonnes…

42

Benny

Elle est rentrée du boulot plus tard que d'habitude et j'ai tout de suite remarqué que quelque chose n'allait pas. Elle était plus pâle que jamais et avait l'air absente, elle ne me regardait pas.

Ce jour-là justement j'avais accumulé de quoi exploser, je venais de prendre un savon par le personnel de la crèche parce que les chaussettes et les moufles des garçons n'étaient pas marqués de leur nom. Ils imaginaient peut-être que *moi*, j'allais me mettre à la broderie entre les traites ?

— Vous verrez ça avec ma femme ! ai-je sifflé et ensuite j'ai déposé les mômes chez Violette, j'étais obligé, je ne pouvais pas les garder dans l'étable. Désirée m'avait seulement dit qu'elle rentrerait tard, elle avait raccroché avant que j'aie eu le temps de demander pourquoi et Violette a rouspété en prétendant que Nils mouchait de la morve verte et qu'il pouvait contaminer Kurt-Ingvar, mais j'ai fait celui qui n'a pas entendu, me suis précipité à la voiture et suis rentré en vitesse m'occuper de la traite. J'ai eu des problèmes avec le curage, il faisait un froid de canard et c'était gelé, j'ai été obligé d'utiliser un pic à glace. J'étais passablement énervé en entrant dans la cuisine – en gardant mes godillots rien que pour emmerder le peuple. Et je l'ai trouvée assise sur la banquette, les mains sur les genoux et regardant droit devant elle. Aucun repas en train de cuire et elle n'était même pas allée chercher les petits chez Violette. J'ai ouvert la bouche pour me lâcher.

Puis je l'ai refermée. Je l'ai longuement regardée.

— Nom de Dieu, qu'est-ce qu'il y a, Désirée ? Qu'est-ce qui s'est passé ?

Elle n'a pas semblé m'entendre. Elle lissait un pli de la nappe encore et encore en fixant la fenêtre et l'obscurité dehors.

— Il faut que tu ailles chercher les enfants, tu comprends ? J'ai encore à faire, moi ! J'avais juste pensé avaler un morceau, s'il y en avait eu de prêt ! Et personne s'est occupé de la rééducation d'Arvid aujourd'hui et il n'y a pas leur nom dans les chaussettes et je ne peux pas tout faire !

J'ai parfaitement entendu combien ça faisait râleur.

Elle a lentement tourné sa tête dans ma direction, comme une poupée mécanique.

— Tant mieux alors s'il n'y aura pas d'autres enfants à gérer ! a-t-elle dit d'une voix atone.

— Comment ça, pas d'autres enfants ? Qu'est-ce que tu veux dire ?

Alors elle m'a raconté, les joues baignées de larmes. Je n'ai pas su quoi dire, si bien que je n'ai rien dit. Je n'en étais pas fier, vraiment pas. Mais putain, ce n'était quand même pas ma faute ? Après tout, ce n'était pas moi qui avais exigé qu'elle fasse ça !

— Tu sais que moi, je veux qu'on en ait d'autres, ai-je fini par murmurer.

Elle m'a lancé un regard qui m'a donné envie de me mettre à l'abri derrière la banquette. Ensuite elle est montée se coucher et je suis resté assis, les bras ballants jusqu'à ce que Violette appelle, en pétard parce que personne n'était venu chercher les garçons. Je lui ai répondu que Désirée était malade et alors Bengt-Göran les a ramenés avec le tracteur. Je leur ai préparé le truc en flocons instantanés, les ai changés et couchés, quel boulot, ça m'a pris un temps fou. Je n'ai pas eu le temps de m'occuper du glaçon qui bouchait la conduite d'eau de l'étable et les vaches ne tenaient plus en place, elles n'avaient pas d'eau dans leurs abreuvoirs, j'ai fait des allers et retours à ne plus en finir, je n'avais rien mangé depuis le petit-déjeuner. En allant me coucher vers onze heures, j'ai trouvé Désirée allongée sur le dos à fixer le plafond et elle n'a rien dit et je n'ai rien dit parce que je n'avais strictement rien à dire.

Plus tard, j'ai souvent pensé à ce soir-là et j'ai regretté de ne même pas avoir essayé. Car c'était comme si quelque chose avait dérapé, un petit truc qui s'était détraqué et à chaque tour que nous faisions, il se détraquait de plus en plus. Désirée a essayé d'en parler deux, trois fois, elle m'a décrit le déroulement complet, comment ils avaient gueulé au-dessus de sa tête sur la civière "c'est encore une IVG !", mais je ne *pouvais* pas répondre, c'était comme si un interrupteur était activé dans mon crâne et me réduisait au silence. J'avais l'impression qu'elle essayait de me culpabiliser et c'était plus que je ne pouvais endosser, même pour elle.

J'avais mes propres angoisses à gérer, je ne pouvais plus faire une marche arrière avec le tracteur sans avoir l'estomac en vrille, et pour finir c'est devenu intenable parce que pendant les labours de printemps on fait des marches arrière sans arrêt. En mai, Désirée a posé deux semaines de vacances, elle est allée en ville avec les enfants, chez Märta, et alors j'étais sûr que si j'écrasais quelqu'un en reculant, ce ne serait au moins pas quelqu'un de la famille. Un jeune d'une ferme voisine est venu m'aider, c'était mieux que rien, et comme d'habitude, Bengt-Göran était un roc.

Je me suis senti comme un célibataire de nouveau. Mais en pire. À présent, je savais ce qui me manquait.

43

Désirée

Si quelqu'un avait prédit ça le jour de notre mariage, j'aurais ri. Que Benny et moi… ?

Que nous deviendrions de parfaits étrangers l'un pour l'autre.

Nous qui avions surmonté tant de difficultés ensemble, qui avions sauté par-dessus tant de fossés et franchi tant de clôtures. Nous qui nous connaissions par cœur et pouvions rire ensemble et avions deux enfants infiniment aimés ensemble. Nous qui avions failli passer à côté l'un de l'autre, qui avions trouvé que la vie ne valait pas d'être vécue l'un sans l'autre.

Nous pouvions maintenant rester en silence sur le canapé quand les enfants étaient couchés et regarder des émissions télé sans intérêt. Elles l'étaient toujours pour au moins l'un d'entre nous – je fixais d'un œil vide ses matchs de hockey sur glace et ses séries avec des poursuites en voiture, Benny piquait du nez devant presque tout le reste. Pour finir, l'un de nous bâillait et disait "bon, je pense que je vais aller me coucher" et partait se laver les dents. Nous n'avons pas cessé de faire l'amour, mais la plupart du temps c'étaient des étreintes rapides et maladroites au matin si le hasard nous avait poussés du côté de l'autre dans le lit.

Il semblait totalement irréel que nous ayons un jour passé le vendredi soir à pouffer en lisant les événements de la semaine dans la *Feuille du Sorbier*. Nous n'arrivions plus à trouver de sujets de conversation. J'avais l'impression d'avoir déjà entendu toutes ses histoires du village, et ses sempiternelles plaintes des méfaits du gouvernement et de l'UE m'épuisaient. Je faisais des réactions allergiques dès qu'il parlait de "paysans". C'est toujours les Paysans qui paient les pots cassés. Quelle galère d'être Paysan. Et la FNA, qu'est-ce qu'elle fout ? Il n'avait pas tort, ce n'était pas ça qui me gênait, plutôt le fait qu'il m'utilisait comme un dépotoir, un évier où verser tout ce dont il voulait se libérer, sans même se demander si j'avais envie d'écouter. Il s'accordait le droit, point final.

Benny tenait de grands discours sur la rentabilité qui avait tant baissé que bientôt ce serait foutu. En fait, il n'en croyait rien, comment aurait-il pu se le permettre ? Moi en revanche, qui étais convaincue que dans vingt ans il n'y aurait plus de paysans suédois, je ne pouvais jamais le dire à haute voix, ce n'était tout simplement pas possible.

Quelques rares fois, je m'essayais à une plainte moi-même, pour obtenir un peu de compréhension pour mon boulot, comme après le différend avec Lilian. Alors il bâillait, lorgnait vers les pages sport et murmurait : "Tu n'as qu'à le lui dire !"

Si bien que j'appelais Märta quand j'avais besoin de parler. Souvent Benny passait à ce moment-là et sifflait, de mauvaise humeur : "Tu vas rester encore longtemps au téléphone ? Les gens peuvent pas nous joindre !" Il trouvait que je ferais mieux de prêter une oreille à ses doléances, bien calé dans le coin du canapé, au lieu de bavarder au téléphone.

Il était totalement inenvisageable que j'essaie de l'intéresser à quelque chose que j'avais lu, entendu ou vu dans le domaine culturel. Alors il jouait immédiatement au paysan inculte : "Norén ? Norén* ? Le gars de la commission de l'agriculture, c'est ça ?"

Parfois Violette passait avec une pile de vieux magazines qu'elle avait fini de lire – c'était sa façon de me remercier d'apporter des livres pour enfants à Kurt-Ingvar de temps en temps. De leurs rubriques conseils aux lectrices il ressortait qu'un grand nombre de femmes se plaignaient de leur mari pour les mêmes raisons. Il parle de ses trucs, elle écoute et comprend. Elle essaie de parler des siens, il va bricoler dans le garage. Mais je n'avais pas envie de me voir comme faisant partie d'un schéma sociologique ! Benny et moi, nous étions censés être uniques !

En septembre, nous nous sommes ressaisis, je pense que tous les deux, nous étions en train de sombrer dans une sorte de désespoir de solitude à nous être tant éloignés l'un de l'autre. Nous avons décidé de partir en vacances seuls pendant quatre jours, après les labours d'automne. Nils resterait avec Bengt-Göran

* Allusion à Lars Norén, né en 1944, poète et dramaturge considéré comme le successeur de Strindberg et Ibsen.

et Violette, Arvid avec Märta et Magnus. Benny s'est précipité en ville réserver un voyage low-cost à la Costa del Sol, c'était une surprise pour moi. Il trouvait sans doute que Côte et Soleil, ça paraissait prometteur, mais le soleil n'est pas forcément au rendez-vous en Europe fin octobre… Il a plu à verse pendant deux jours et les deux autres le brouillard était épais. Nous avons essayé de nous promener sur la plage dans nos habits d'été et de tremper les orteils dans l'eau, les Espagnols recroquevillés dans leurs doudounes nous jetaient des regards effarés. Et à mes yeux, la Costa del Sol est un endroit déprimant, fané et surexploité par tant d'années de tourisme.

Le dernier soir dans notre ghetto d'hôtels et d'immeubles de location nous étions assis devant nos verres garnis d'un petit parasol. Nous nous étions entêtés à sortir, nous étions les seuls clients à la terrasse du café. Subitement, il s'est remis à pleuvoir, un vrai déluge. La tignasse de Benny a été trempée tout de suite et spontanément j'ai tendu la main pour lui écarter les mèches du front. Je n'avais pas remarqué combien l'implantation de ses cheveux avait reculé cette dernière année.

— Exactement, Désirée ! Par-dessus le marché, ton bonhomme est aussi en train de devenir chauve ! dit-il sur un ton tellement triste que ça a touché quelque chose dans mon cœur.

— J'ai toujours adoré les cheveux clairsemés chez les hommes ! lançai-je. Ça vient d'un excédent de testostérone, j'ai lu que c'est particulièrement fréquent chez les hommes très virils !

Il m'a lancé un regard suspicieux.

— Embrasser le crâne d'œuf de son homme ! persistai-je. Plus sexy, tu meurs ! J'ai hâte de le faire !

Un petit sourire est apparu sur son visage.

— Je parie que tu dis ça à tous les mecs ! dit-il.

Nous nous sommes regardés puis nous avons éclaté de rire. Les torrents d'eau ont redoublé d'intensité, nos drinks se sont dilués, nous étions trempés jusqu'aux os mais nous n'avons fait que rire et rire. Puis nous sommes retournés à l'hôtel et nous nous sommes débarrassés de nos vêtements détrempés, nous nous sommes mis sous la douche ensemble et ensuite nous avons fait l'amour comme autrefois.

C'est ainsi que Klara a été conçue.

SIXIÈME ANNÉE

Belles éclaircies

44

Benny

Oups, encore un ! J'avais dû mal viser… Mais le coup était parti involontairement…

Cette fois, ce serait peut-être une petite avec un fichu sur la tête ? Une petite crevette rose avec l'esprit vif de Désirée et mes… eh bien mes… mes mollets bien tournés peut-être ? On m'a déjà dit qu'ils sont pas mal…

On est rentrés d'Espagne retrouver nos deux petits bandits et la vie s'est remise sur rails et valait le coup d'être vécue à nouveau. Je me baladais dans l'étable avec une banane qui allait d'une oreille à l'autre, ils étaient tellement drôles, ces petits. Arvid a assisté à son premier vêlage, il a trouvé ça génial. Quand le veau fut né, et se trouvait mouillé et tremblant dans son box, il est tout de suite allé se placer derrière la vache, attendant la suite – il a dû croire que les veaux sortaient à la queue leu leu.

Il a pris l'abattage d'automne avec sérénité, bien qu'il sache très bien à quoi s'en tenir. On a tué Olle, un veau mâle qu'il aimait particulièrement. On l'a évidemment fait le soir quand il était couché, mais le lendemain il restait quelques lambeaux visibles. Arvid a tristement secoué la tête en disant : "Pauvre

Olle qui est si moooort !" Mais en bon fils de paysan, il ne donnait pas cher des longues explications philosophiques au sujet de la mort. Comme parfois à la crèche. Ils lisent un livre pour enfants dégoulinant de bons sentiments sur la mort de mamie, puis ils parlent avec les mômes de ce que ça signifie d'être "mort". Arvid reniflait toujours et haussait les épaules quand ils en arrivaient à cette discussion. "Ben ils meurent et puis on les suspend et ensuite on les mange !" disait-il très simplement. Il devait croire qu'on suspend les mamies aussi pour les rendre plus tendres…

Mais j'ai toujours une inquiétude qui me ronge. Au fond de moi, je sais que ça ne peut pas continuer éternellement ainsi. La pression de la rentabilité dans l'agriculture est tellement grande, on ne peut pas bricoler tout seul dans son coin avec trente vaches laitières, tout autour de moi les fermes cessent leurs activités, les cours du lait n'arrêtent pas de baisser et qu'est-ce que j'y peux, moi, bordel de merde ? Papa allait aux réunions de la laiterie et rentrait remonté à bloc, parce qu'il avait dit ce qu'il avait sur le cœur à la direction. Mais aujourd'hui, avec la laiterie qui se trouve à l'autre bout du pays et des gugusses en costard dans la direction qui décident d'investir en Angleterre et au Danemark sans me demander mon avis ? Alors que c'est moi qui paie ?

Je devrais sans doute investir six, sept millions et me mettre à la stabulation libre et m'acheter des robots de traite, mais putain quoi, je suis le seul et dernier producteur de lait de cette région, un jour ou l'autre, ils vont cesser de venir collecter et alors je me retrouverai comme un con avec mes robots et mes dettes ! Et des bêtes à viande… oui, un cheptel de 150 vaches allaitantes, pour ne pas avoir à traire, sauverait peut-être mes genoux, mais pour l'instant on ne peut pas en vivre, et qu'est-ce que je pourrais faire pour compléter ? Préparer de petits paquets de bouse de vache compostée à livrer aux jardins particuliers en ville ? Déblayer la neige aux… eh bien aux quelques rares voisins que j'ai ? Louer mon corps aux estivants ? Croyez-moi, j'ai pensé à tout ! Des cochons ? Il faut en avoir plus de cinq cents pour que ce soit rentable. Cinq cents foutus cochons ! Tout doit être gigantesque pour être rentable – et la vérité est sans doute que si on formait une équipe dans l'exploitation, Désirée et moi, on pourrait envisager des investissements. Mais on ne sera jamais une équipe, quoi qu'elle fasse pour m'aider avec les vaches. Parce qu'elle le fait toujours à contrecœur, elle aurait préféré en être dispensée, je ne suis pas con au point de ne pas le voir. Et je ne peux pas attendre dix, quinze ans qu'Arvid soit éventuellement intéressé.

Si bien que je repousse la question de l'investissement de jour en jour en me bornant à essayer de maintenir le navire à flot. Je suis d'une autre époque, un temps où les gens s'entraidaient pour la moisson d'automne, où on organisait des marches de protestation et où l'union faisait la force, où on maîtrisait toutes les étapes de la production. J'ai lu l'autre jour que se rendre service et se renvoyer l'ascenseur

moi-même. Benny a saisi une paire de ciseaux en déclarant qu'il avait coupé des queues de vache tout au long de sa vie professionnelle, il serait parfaitement capable de me façonner une coiffure courte et à peu près régulière, non ? J'ai trouvé que je n'avais pas grand-chose à perdre, et je l'ai laissé essayer.

Certes, il savait couper des queues de vache. Ma tête avait l'air d'une queue de vache tronquée quand il avait fini. Après cela, j'ai laissé mes cheveux pousser et je les coupais moi-même toutes les cinq semaines, au carré aussi régulièrement que possible. Ce n'était pas beau, mais j'économisais quelques centaines de couronnes par mois et chaque couronne comptait.

Plus embêtant : nous n'avions aucune marge pour des imprévus. Benny ne pouvait évidemment pas renoncer à acheter du fourrage aux vaches, il avait déjà supprimé toutes sortes de frais possibles et impossibles dans l'exploitation. Et je n'avais pas non plus de moyens de faire des extras dans mon domaine. Pour faire des heures supplémentaires, il m'aurait fallu attacher les enfants aux meubles, et prêter des livres à titre personnel pour se faire trois sous, aucun bibliothécaire ne peut se le permettre. Je veux dire, si j'avais été médecin par exemple, j'aurais pu glisser une opération supplémentaire par-ci, par-là, ou quelques rendez-vous après le boulot. Si j'avais été professeur, j'aurais pu donner des cours du soir, quand Benny en avait terminé avec les vaches. Mais moi, qu'est-ce que je pouvais faire ?

Certaines femmes du village passaient leurs soirées à fabriquer des petits Pères Noël et des maniques avec des bouts de laine, puis elles vendaient leur production dans des foires. Mais a) c'était surtout des retraitées qui avaient du temps à tuer et b) l'argent était destiné à un orphelinat en Estonie. Même si j'avais su faire du crochet, il aurait été compliqué de dire à ces femmes généreuses que bien sûr, envoyez donc votre argent aux enfants dans le besoin, moi j'économise le mien pour que Benny puisse se faire soigner les dents. Et d'ailleurs, ce qu'elles ont collecté, c'était peanuts, une misère à côté de ce que leurs maris dépensaient tous les deux ans pour changer de voiture, j'en suis sûre.

Non, nous vivions sur le fil du rasoir et nous pouvions basculer de l'autre côté à tout moment. Une facture d'électricité impayée qui a occasionné des frais d'huissier a longtemps laissé des traces parmi les dépenses ménagères – pas de petits fromages français pendant six mois. Et quand Benny a eu trois dents cassées par une manivelle qui s'est emballée, ça a été la catastrophe. Il lui fallait un bridge et les bridges se chiffrent à des milliers de couronnes.

À peu près en même temps, le vieux Brännlund est mort, depuis toujours il nous achetait nos taurillons pour les élever en bêtes à viande. Subitement, nous ne pouvions plus les écouler, l'abattoir en ville avait fermé, personne ne fait des kilomètres supplémentaires pour quelques taurillons, et il était hors de question de les élever nous-même, ce serait une entreprise à perte même si nous avions eu la place pour le faire.

Notre économie était un vrai sac de nœuds. Nous chassions les dépenses à la loupe. Et quand on est réduit à ça, on devient une proie facile de toutes sortes de filous. Comme lorsque nous avons acheté un pack familial de shampooing à la foire agricole, le vendeur avait probablement versé du détergent pour tracteur dans de vieux bidons en plastique et changé l'étiquette. Nos cheveux ressemblaient à des boules de pissenlit, ils lançaient des étincelles quand nous nous approchions les uns des autres, tu parles d'une affaire ! Quoique, en général nous n'avions même pas les moyens d'acheter quoi que ce soit par pack familial, nous vivions au jour le jour, surtout à la fin du mois. C'est cher d'être pauvre ! Parfois je ne savais pas s'il fallait en rire ou en pleurer : je pouvais avoir le congélateur rempli de viande d'élan ou de bœuf de notre propre production, mais pas assez d'argent pour acheter un paquet de poisson pané pour varier un peu… Mais c'est vrai, nous avions toujours des laitages, des pommes de terre et de la viande, nous n'étions pas à plaindre, même s'il m'arrivait de penser avec nostalgie à ma vie de célibataire quand je pouvais remplir un plat de fruits exotiques ou me bâfrer d'asperges hollandaises ! Bien sûr, j'essayais de cultiver des légumes ! Mais pour ce qui est d'avoir la main verte, je semblais en avoir deux gauches. Mes carottes étaient frêles comme des allumettes et dotées de quatre jambes, les escargots arrivaient toujours avant moi aux salades et les poireaux étaient maigres comme des clous, puis ils montaient subitement en graines. La seule chose que je réussissais parfaitement, c'était des *radis* ! Je produisais des radis fantastiques, mais ils étaient d'une valeur limitée quand il s'agissait de nourrir toute une famille !

Les courses prenaient de plus en plus de temps. Je comparais les prix de tout, des cornichons aux lessives. Souvent avec un petit dans le caddie qui se tendait en hurlant vers les bonbons à la caisse.

Et bientôt nous allions en avoir trois à nourrir.

46

Benny

Je ne vais pas nier que je m'y attendais, à cette crise de la quarantaine. J'allais avoir mes quarante ans au mois de mars et j'avais lorgné sur les publicités des produits qui pourraient maintenir mes cheveux en place pendant encore quelques années. Ils devaient bien être capables de concocter ça, non ? Dans le domaine de l'agronomie, ils inventent de ces choses, ils densifient et ils raccourcissent et ils épaississent les plantes en long et en large ! Et il m'arrivait de me pincer le poitrail et de me demander quand j'allais prendre la forme d'une poire. N'étais-je pas devenu un peu…

J'avais pensé au moment et à la façon dont elle allait passer à l'attaque, cette fameuse crise. Allais-je subitement me réveiller un matin, troquer le tracteur – le petit – pour une moto, nouer un bandeau autour de la tête et décamper en direction du coucher du soleil pour rattraper ma jeunesse qui s'estompait ? J'ai entendu parler de gens qui font ça. Souvent avec une bimbo derrière eux sur la bécane. Je suis allé jusqu'à embêter la Crevette avec ça :

— Je pense que je ne vais pas tarder à avoir la crise de la quarantaine ! J'espère qu'elle frappera avant les labours de printemps, parce que après je n'aurai pas le temps ! Tu ne veux pas te joindre à moi, comme ça je n'aurai pas à en draguer une autre !

— Jamais ! a dit la Crevette d'un ton ferme. J'ai commencé à me frotter un peu à ma propre crise, Qu'Ai-Je Fait De Ma Vie et ce genre de choses. Je n'ai pas le temps de m'occuper de la tienne aussi ! Tu n'as qu'à la faire en même temps que l'âge du "non" de Nils, comme ça on serait débarrassés de tout en même temps et on pourrait enfin souffler un peu ?

La vérité était évidemment que je ne sentais venir aucune crise. Depuis qu'on s'était retrouvés là-bas à Torremolinos sous la pluie torrentielle, j'étais vraiment content de mon existence, sauf quand je devais m'occuper de la compta. Je trouvais que j'avais vraiment fait quelque chose de bien de ma vie ! La ferme n'était pas encore en faillite, rien que ça ! J'aurais pu m'y trouver tout seul comme un vieux garçon sans la Crevette et les garçons, me nourrissant de saucisses au micro-ondes et de café lyophilisé avec l'eau chaude du robinet, et des films porno sortis de la parabole pour seule compagnie ! Quand je bossais dans l'étable avec Arvid à la traîne poussant sa petite brouette ou quand je m'endormais la main sur le ventre de la Crevette, je pensais toujours à la chance que j'avais eue. Et ensuite je me dépêchais de penser à autre chose parce que j'osais à peine y penser, comme si c'était un rêve et que j'allais me réveiller à tout moment.

Ou alors j'aurais pu vivre ici avec Anita… Je l'ai croisée l'autre jour en ville quand je faisais un saut aux impôts. Elle m'a adressé un bref hochement de tête en s'apprêtant à passer son chemin, mais je lui ai bloqué le passage et j'ai essayé de me montrer sympa. Et comme l'idiot que je suis je l'ai invitée à la fête pour mes quarante ans que Désirée était en train de planifier en catimini. Elle m'a lancé un regard noir.

— Pourquoi, vous avez besoin d'aide pour la vaisselle ? a-t-elle craché avant de jouer des coudes pour passer.

Ah, quelle journée ça a été ! Je me suis réveillé en sursaut croyant que la toiture s'effondrait. C'était l'équipe de chasseurs qui tirait des salves en mon honneur au coin de la maison. Ensuite il a fallu qu'ils entrent tous boire un café, la Crevette avait préparé une tarte salée et elle était partout à la fois, un sourire aux lèvres, et tous, je dis bien tous, ont blagué et dit qu'ils allaient me faire cadeau de Viagra ou de cornes de rennes aphrodisiaques. Et la Crevette a dit "Laissez-moi le ticket de caisse pour que je fasse un échange, mon homme n'a pas besoin de ces trucs-là ! À moins que vous préfériez vous les partager entre vous ?" J'ai rougi tellement j'étais fière d'elle quand ils ont rigolé et lui ont tapoté le dos, parfois elle est vraiment sur la bonne longueur d'onde.

Puis Bengt-Göran et Violette sont arrivés. Bengt-Göran s'était libéré et s'est chargé de l'étable et Violette et la Crevette m'ont mis à la porte de la cuisine. Je devais prendre les garçons, propres et coiffés, et sortir faire une promenade. Ça m'a fait tout drôle de me dire que c'était la première fois. Dans l'après-midi, Märta, Consuela et Magnus sont arrivés dans la voiture de Magnus équipée pour handicapés. Qu'est-ce qu'ils allaient faire tous ? La Crevette m'a seulement tendu un panier de pique-nique et m'a dit de m'installer au soleil quelque part avec les garçons. Je n'avais pas encore le droit d'entrer.

Vers cinq heures de l'après-midi, elle m'a enfin ouvert la porte. La cuisine était remplie de paniers et de cartons de nourriture qu'ils avaient préparée toute la journée. La Crevette m'a poussé dans la douche et quand j'en suis sorti, j'ai découvert les vêtements qu'elle m'avait préparés – une nouvelle veste en cuir géniale qu'elle avait trouvée chez les Fourmis et un chapeau de cow-boy ! Puis on est tous allés au foyer du village, le moindre quidam que je connaissais était là sur le perron, tous en habit de cow-boy ! Ils avaient loué un orchestre de country et dès le début ça a été une putain d'ambiance, on a dansé de la line-dance et de la square dance et de la *snoa* et des mélanges extravagants des trois, avec quelques touches de swing. La Crevette bondissait partout affublée d'une robe de grossesse à carreaux avec des volants, chaussée de sabots et le ventre bien bombé. Les gens s'étaient cotisés pour un agrandissement d'une photo aérienne de la ferme, avec cadre doré et tout, j'ai failli en chialer.

La nourriture était exquise. Dans notre cuisine, Violette avait mené la préparation comme un commandant mène ses troupes, mais elle s'est fâchée contre Bengt-Göran devant le buffet. Elle servait du cœur de renne fumé en tranches fines et elle n'a pas apprécié de l'entendre brailler : "Putain c'est quoi ça, tu sers du boudin pour un repas de fête ?"

franchement tire-au-flanc, arrivait toujours en retard et avait toujours une excuse pour partir en avance, et je ne pouvais quand même pas la dénoncer sans arrêt pour ça. Dès qu'Olof était dans les parages, elle devenait le zèle personnifié et répétait mes propositions en parlant fort, comme si c'était les siennes. J'ai subitement réalisé qu'il tombait dans le panneau, qu'il restait volontiers à roucouler avec elle à la cafèt' au lieu de travailler. Ce fut la première brique de ma crise – après tout, j'avais été sa petite préférée… Et je me suis vue comme il devait me voir désormais, pas loin d'une matrone, deux enfants et le troisième en route. Quant aux roucoulements, ce n'était pas mon genre.

Ça n'a fait qu'empirer. J'ai trimé comme une forcenée, souffrant d'une sorte de sois-parfaite-syndrome. Je voulais avoir quelque chose à montrer bien que je sois amenée à être souvent absente. Diana soupirait et levait les yeux au ciel quand j'annonçais que je prenais ma journée, comme si tout le fardeau allait retomber sur ses épaules anorexiques. En réalité, je n'ai jamais remarqué qu'elle ait accompli quoi que ce soit quand je n'étais pas là, je suppose qu'elle saisissait l'occasion de reprendre son souffle.

Avec PowerPoint, j'ai fait de jolies présentations à montrer aux élus qui allaient accorder les subventions. C'était un projet bien conçu en trois étapes que nous devions lancer dans les écoles, une semaine de conte, une semaine de film et une semaine de lecture, simple et sans prétention pour commencer.

Ensuite venait la réhabilitation du Roxy, le cinéma désaffecté, la Grotte du conte, les jeux de rôles basés sur de célèbres livres pour enfants et tous les concours – un programme qu'il faudrait quelques années pour réaliser et qui se terminerait avec un festival national. J'étais immensément fière de tout ça mais j'avais commis une erreur.

Je n'avais pas signé mes présentations.

Si bien que lorsque Nils et Arvid ont eu la varicelle et que j'ai dû rester à la maison pendant deux semaines, Diana a tout repris comme si c'était son projet. Elle a même obtenu l'autorisation d'Olof d'entrer dans mon ordinateur et de copier les fichiers PowerPoint. Il l'a accompagnée à la mairie pour tout présenter et il a prétendu avoir mentionné que j'avais assisté Diana dans le travail. Sauf qu'après, personne n'arrivait à s'en souvenir… Diana a obtenu un CDI et un bureau qui était plus grand que le mien et à partir du jour où elle s'y est installée, elle n'a plus levé un petit doigt. Tout le projet s'est mis à piétiner et Olof m'a demandé d'une mine irritée si je ne pouvais vraiment pas contribuer un peu, moi aussi. Maintenant que Diana avait assumé toute la charge jusque-là.

Quelques mois plus tard, ils se sont mariés.

Et j'ai totalement perdu ma frite. Le flot d'idées a tari, j'ai commencé à tirer au flanc, moi aussi. J'ai carburé à la moitié de ma vitesse habituelle, ce qui n'a pas franchement plu, vu qu'en même temps j'étais absente très souvent. Diana avait parfois des points de vue bruyants là-dessus dans la salle du personnel.

— Tu ne peux vraiment pas demander au papa de se libérer de temps en temps ? Il faut que tu comprennes que c'est lourd pour nous autres, comme si un poste avait été supprimé…

C'était là, quelque part, que se situait ma crise de la quarantaine. Je pleurais le travail que j'avais tant aimé. En fait, qu'avais-je réellement accompli pendant les premières quarante années de ma vie ? Un beau bureau pour Diana, deux enfants super qui me vidaient totalement et quelques milliers de litres de lait ? C'est le genre de ruminations que je pouvais avoir la nuit, la main de Benny posée sur mon ventre.

Un jour, j'ai fondu en larmes après une répétition avec la chorale dans le réfectoire de l'école. Une adorable soprano qui s'appelle Karin m'avait demandé comment avançait mon festival de jeux de rôles, ses enfants avaient trouvé l'idée géniale, ils l'attendaient de pied ferme. Je lui ai raconté ce qu'il en était.

— Ça ne donnera jamais rien, tout le boulot que j'ai fait, pleurai-je. Ce n'est pas possiiiible de mettre toute son âme dans des projets quand on doit aussi être au service d'une grande famille et qu'on a des mômes qui sont tout le temps malades. Et bientôt il y en aura un troisième ! Et Benny qui voit mon temps et mon travail comme un avantage en nature !

Elle m'a passé une main dans le dos pour me calmer.

— Tu sais, les enfants, ils grandissent, dit-elle. On a du mal à le croire, mais c'est vrai. Si on a trois gamins chiants, on pense qu'on les aura encore dans dix ans. Mais alors on aura trois ados imbuvables qui refusent qu'on s'occupe d'eux et ensuite on n'a même plus ça ! C'est le moment où on se plonge dans les projets ! Fais attention seulement de rester en selle, ne descends pas du manège, il est très difficile d'y remonter en marche ! Benny fait partie d'une génération perdue. Pour lui, le travail qui se fait dehors avec un outillage lourd aura toujours plus de valeur. Cela dit, tu pourras essayer de l'envoyer aux cours de dressage du club canin, il apprendra peut-être à rapporter…

Je pense que c'était une femme sage. Elle-même a commencé à faire des études d'inspectrice en hygiène publique à quarante ans après avoir eu cinq enfants. J'allais me maintenir d'une main sur le manège jusqu'à ce que je sois capable de me donner de nouveau à fond. Attention à toi, Diana, tu risques de me voir revenir vers les soixante ans et des poussières…

48

Benny

Parfois j'avais l'impression d'être célibataire de nouveau. La Crevette se montrait rarement dans l'étable désormais, j'y étais tout seul à longueur de journée et j'essayais de me donner du cœur à l'ouvrage avec la radio locale et des rêveries. Si seulement j'avais eu un frangin avec moi, qui aurait apporté sa contribution ! Quelqu'un qui aurait prêté attention aux petits triomphes qui se présentaient – regarde, Linda et Amersfort donnent plus maintenant, ça fait un moment qu'on n'a pas eu de mammites, t'as vu la super qualité de l'ensilage et ainsi de suite. J'essayais parfois d'éveiller l'intérêt de Désirée pour ça quand on mangeait le soir, mais c'était comme de pisser dans un violon.

— Mmmmmm… mammite ? Attention au verre, Nils !... tant mieux qu'elles donnent… encore ?... NON Arvid, pas les pieds sur la table… qualité de quoi tu as dit ?

Et pourtant je savais très bien que j'avais eu une veine de cocu. Et si je ne le savais pas avant, je l'ai parfaitement compris au printemps dernier quand j'ai croisé Roger, l'un des gars de l'équipe de chasseurs. Lui aussi avait des vaches laitières, mais il habitait

Norråker si bien qu'on ne se voyait pas très souvent, sauf pendant la chasse. Il avait toujours été un gai luron, il s'arrêtait volontiers bavarder un moment, et se vantait de son fils qui était un as du fusil bien qu'il n'ait que onze ans. Cette fois-là, il n'a rien dit, à peine s'il a levé le menton. Je me suis dit qu'il était peut-être malade et j'ai proposé qu'on se prenne un café au salon de thé d'Ulla. Il n'a pas répondu, seulement hoché la tête. Nous avons passé commande, et il tournait et tournait la cuillère dans son café comme s'il essayait d'en faire de la mousse. Sans un mot. Pour finir, j'ai dit :

— Il s'est passé quelque chose ?

— Elle s'est tirée ! a-t-il craché, presque méchamment.

— Qui ça ?

— Ann-Sofie, évidemment. À Stockholm. On ne peut pas les enchaîner.

— Tu sais… tu sais pourquoi ?

— Nan. Elle n'avait personne d'autre en tout cas. C'est ce qu'elle a dit.

— Et… toi ?

— Bordel, quand est-ce que tu veux que j'aie le temps pour ça ?

— Mais… elle n'a rien dit ?

— Nan. Et moi non plus, apparemment. C'est de ça qu'elle s'est plainte. Que je ne disais jamais rien. Ou un truc dans ce genre.

On n'a rien dit pendant un moment.

— Tu comprends, c'est le môme qui me manque ! a-t-il dit ensuite. Il est parti avec elle. Maintenant je ne le vois pratiquement plus.

— Tu n'as qu'à aller le voir, à Stockholm !

— Tiens donc, et mes vaches ? Et où veux-tu que je dorme, j'ai appelé quelques hôtels pour voir, ça coûte autant que ce que je gagne en une semaine.

Puis il a pleuré. En reniflant, c'était très moche. Ses larmes sont tombées dans son café.

Alors j'ai pensé à Désirée et moi, comment on s'est tus ensemble toute l'année précédente, avant le voyage. Ça m'a fait comme des gouttes glacées dans la nuque. Je me suis dit que ça pourrait se reproduire, et ça m'a fait réfléchir. Alors j'ai démarré la construction d'une véranda devant la maison, côté sud. C'est là qu'on serait assis, Désirée et moi et les garçons et la petite nouvelle, au soleil, pour parler de toutes sortes de choses. Je le lui ai dit, à Désirée, et ça lui a fait plaisir. D'ailleurs, c'était son idée au départ. J'ai fabriqué des jardinières pour aller avec.

Pendant la chasse d'automne, il s'est tué, Roger. Le journal a dit que le coup était parti tout seul, son fusil s'était enrayé et il a voulu vérifier.

SEPTIÈME ANNÉE

*Ciel voilé, brouillard.
Faible visibilité*

49

Désirée

Je me souvenais encore très bien de la naissance de Nils, avec toute la bande d'étudiants en médecine et d'élèves infirmières qui se bousculaient autour de moi. Quand je suis arrivée à la maternité fin juillet pour la naissance de Klara, j'ai clairement dit que je ne voulais aucun étranger dans la salle d'accouchement. C'étaient mes mots exacts, aussi arrogants que ça – aucun étranger. Pas étonnant que la sage-femme ait vu rouge ! Elle a choisi de se venger en se comptant parmi les étrangers. Pendant les premières heures, nous avons à peine vu âme qui vive. J'ai fini par envoyer Benny chercher quelqu'un dans les couloirs pendant que je rugissais sous les assauts des contractions. Tout s'est bien passé, mais cette fois, la farce a commencé après. Avant, on pouvait rester quelques jours à la maternité, se reposer pendant qu'un personnel compétent s'occupait du bébé, se faire servir ses repas sur un plateau, on recevait des visites, des fleurs, on pouvait écouter la radio…

Cette fois, ils m'ont mise à la porte presque tout de suite. J'ai eu droit à deux nuits à l'hôtel des patients pour qu'ils puissent continuer à garder un œil sur Klara et moi jusqu'à ce que je puisse rentrer par mes propres moyens. Pendant ces nuits, Benny a conduit pratiquement non-stop la presse à balles rondes pour avoir le temps de tout rentrer, la météo prévoyait des trombes d'eau pendant plusieurs jours. Quant aux enfants, il les a tout bonnement parqués avec moi. Si bien que je me suis retrouvée seule, fraîchement accouchée et recousue avec quelques points de suture, dans une chambre d'hôtel dépouillée, à essayer de faire comprendre à Klara ce que téter voulait dire, tout en lisant une histoire à Nils et en empêchant Arvid d'ouvrir la fenêtre et de tomber du cinquième étage. Trois fois par jour, nous descendions tant bien que mal dans la salle à manger de l'hôtel avaler un morceau. Klara était couchée dans un petit lit sur roulettes dont Arvid s'est immédiatement saisi pour enfiler les couloirs à toute vitesse, un Nils jaloux sur ses talons qui voulait conduire, lui aussi. Ensuite le médecin n'a pas voulu me laisser rentrer à la maison, ma tension s'était emballée. Surprise, surprise !

C'est vrai que je ne me sentais pas aussi en forme qu'avec les deux premiers. La tension élevée me donnait mal à la tête, j'ai eu un petit abcès au sein, j'ai dû serrer les dents en tirant le lait, en gémissant parce que ça faisait terriblement mal. J'ai subitement ressenti une grande affinité avec toutes les vaches atteintes de mammite que j'ai soignées au fil des ans, les pauvres, c'était donc ça qu'elles ressentaient ! Et mes points de suture se sont infectés, je me suis retrouvée avec de la fièvre aussi !

Et ça, ça m'a donné les chocottes et j'ai appelé Märta.

J'ai mis au monde trois enfants et subi un avortement en un peu plus de quatre ans. J'ai été enceinte ou allaitante pratiquement non-stop depuis mon arrivée à Rönngården. On aurait dit un rapport d'un pays sous-développé – et si j'avais subitement un infarctus maintenant ou je ne sais pas quoi et que je disparaissais du jour au lendemain ? Qui s'occuperait de nos enfants ? Évidemment, je ne pensais pas que Benny allait les vendre aux enchères, mais comment s'en sortirait-il ? Et de quoi allait-il vivre s'il était obligé d'arrêter la production de lait ?

J'ai dû formuler ces questions à haute voix pendant que je m'enfonçais dans les brumes de fièvre, car j'ai soudain entendu Märta répondre :

— Je veillerai à leur donner une éducation chrétienne et à leur apprendre la valeur du travail et de l'effort ! Et ensuite vous vous retrouverez tous devant les portes du paradis. Un peu de courage maintenant, et tiens-toi tranquille sinon tu ne feras pas un cadavre présentable !

Elle a appelé le médecin de garde, elle rugissait au téléphone et ils sont vite venus me chercher avec un fauteuil roulant, puis je ne me rappelle plus rien parce que je me suis évanouie.

Il m'a fallu plusieurs semaines pour me remettre et l'allaitement en a pâti si bien que Klara n'a pas pris de poids comme il aurait fallu au début. Benny papillonnait autour de nous en se tordant les mains d'inquiétude quand il avait le temps, mais ce n'était pas très souvent. C'était peut-être le bon moment de me procurer cette fameuse liseuse et me laisser aller parmi les coussins du lit et commencer à le commander ? Mais difficilement réalisable s'il n'était pas là.

Violette, cette excellente femme, venait à tout bout de champ avec des seaux entiers de plats cuisinés, j'ai regretté chacune de mes petites pensées mesquines à son égard. Ce sont les femmes comme elle qui font tourner le monde, c'est sûr ! Et par la même occasion j'ai été tenue au courant des moindres faits et gestes de Kurt-Ingvar dernièrement !

J'ai souri un peu en pensant à la fête de bienvenue qu'ils avaient organisée à mon retour de l'hôpital, bon, c'était probablement un peu aussi pour fêter le foin qui était à l'abri.

Benny avait tendu une bâche au-dessus de la nouvelle véranda. Il s'était mis en tête que c'était là que se tiendrait la fête malgré la pluie. Märta avait tressé d'épaisses guirlandes d'épilobe, de fougère et de reine-des-prés qu'elle avait suspendues entre les poteaux. Le gâteau de Violette avec un immense bébé rose en pâte d'amande était magnifique et Magnus a joué *Oh baby, baby it's a wild world !* à l'accordéon. Bengt-Göran et Benny ont exécuté une square dance instable coiffés de chapeaux de cow-boy – après une bonne dose de gnôle dans le café, mais c'est l'intention qui compte. Et Klara était tellement mignonne que pas un œil n'est resté sec, même Arvid avait digéré le fait que de nouveaux frères et sœurs surgissent de temps à autre. Benny l'a photographiée sans discontinuer les premières semaines, jusqu'à ce que je lui demande où il avait trouvé une pellicule avec tant de poses. Timidement, il a marmonné un truc et je me suis dit qu'il s'était acheté un appareil photo numérique. Il est mignon.

50

Benny

J'ai été sur un petit nuage les premières semaines
après son retour à la maison avec Klara. La seule
chose qui m'a un peu gêné, c'est que j'avais oublié
de mettre de la pelloche dans l'appareil, si bien qu'il
n'y a pas eu de photos… Mais tout était vraiment
bien, elle a retrouvé la santé, je me foutais complètement du bordel dans la maison. Et elle paraissait
heureuse, elle riait beaucoup et prenait chaque jour
comme il venait. Et ensuite elle s'est de toute façon
attaquée au désordre.

Mais bien qu'elle soit en congé maternité de nouveau et qu'elle reste à la maison et qu'aucun des
enfants n'ait de coliques, elle est devenue de plus
en plus nerveuse, elle ne tenait pas en place. Un jour
elle m'a dit d'un air fatigué qu'elle avait l'impression d'être celle qui payait le prix fort. Puis elle est
retournée dans la cuisine en claquant la porte derrière elle.

Le prix de quoi ? De nos trois petits lutins, de
notre vie au calme à la campagne, de notre pain
et notre lait quotidiens, des nuits où on aurait mieux
fait de dormir mais où on était incapables de ne pas
se toucher ?

Et comment ça, payer ? Je ne lui demande plus de m'aider avec les vaches, comme le faisait maman. Seulement pour le contrôle du lait, j'ai du mal à m'en sortir tout seul. Et le week-end, pour que je sois un peu libre de temps en temps et puisse faire la grasse matinée pour une fois. Elle rouspète même pour ça. "Et moi, quand est-ce que je suis supposée être libre ?" demande-t-elle. "Tu es en congé maternité à longueur de journée", je lui réponds. Il se trouve que ça fait six mois maintenant qu'elle est à la maison, elle n'a même pas besoin de se rendre en ville les trois jours et demi comme avant quand elle travaillait. Trois et demi sur sept ! Ces putain de vaches, il faut les traire tous les jours !

Elle avait un trois quarts temps à la bibliothèque à la fin, ça ne lui a pas spécialement donné des mains calleuses, et parfois elle ne commençait qu'à midi. D'accord, il fallait conduire les mômes à la crèche et tout ça, mais quoi, elle n'avait même pas à leur donner le petit-déjeuner, la crèche s'en chargeait. Moi, je me lève à cinq heures et demie tous les jours, je me déplace comme un foutu ectoplasme pour ne pas les réveiller. Il lui arrivait parfois de travailler à la bibliothèque jusque vers huit heures du soir et j'étais obligé d'aller chercher les garçons à la crèche moi-même et les laisser avec Violette. Je n'aime pas trop ça, chacun devrait s'occuper de ses propres enfants ! J'aimerais bien qu'elle ne reprenne pas son boulot. On n'en a pas les moyens, dit-elle, mais la crèche n'est pas gratuite et ça coûte, tous ces allers-retours en ville sans arrêt, à se demander s'il reste quoi que ce soit de son salaire à la fin. Oui, mais c'est le seul repos que j'ai, dit-elle, quand je suis au boulot et que je peux faire quelque chose qui m'intéresse sans être dérangée ! Je peux même aller aux toilettes toute seule !

Je suis certain qu'elle sait pertinemment que comparée à moi, elle est peinarde. Quoique, il lui arrive aussi de pester si je prends le tracteur pour aller causer un peu avec Bengt-Göran, ou si je sors avec l'équipe de chasseurs. Je ne suis pas allée au cinéma depuis trois ans, dit-elle, et toi, tu t'offres d'aller voir du hockey à tout bout de champ ! Quoi, j'emmène Arvid aux matchs parfois, Bengt-Göran ne ferait jamais ça !

Elle s'est plainte de la lessive qui prend tant de temps maintenant que nous sommes cinq et alors j'ai pris ma part de la corvée, j'ai commencé à laver moi-même ma combinaison de travail et parfois même mes chaussettes et mes slips. Maman serait tombée des nues. J'ai effectivement appris à mettre en route la machine quand j'étais célibataire, ce n'est pas spé-cialement un effort qui vous met sur les rotules. Et elle me regarde simplement en disant : "Tiens donc, tu laves tes affaires, toi. Je suppose que tout le reste – les vêtements des enfants et les draps et les serviettes et les nappes et les rideaux – ce sont mes affaires ?

Mais je ne fais pas la cuisine, il y a quand même des limites. D'accord, maman ne travaillait pas hors de la ferme, mais elle s'occupait de moi et elle aidait quand même papa dans l'étable presque tous les jours. Je ne le clame plus haut et fort, pas aussi souvent en tout cas – ça ne sert à rien. Parce que la Crevette, elle ne se laisse pas démonter : l'autre jour elle a seulement répondu oui, mais c'était ta grand-mère qui préparait pratiquement tous les repas dans cette maison et elle qui s'occupait de toi, *un* enfant. Et ta tante se chargeait du ménage et de la lessive. Tu comprends, avec une main-d'œuvre pareille je pourrais travailler à la bibliothèque, t'aider à l'étable et en plus faire des remplas comme préfète !

Jamais elle n'admettrait ce qui d'après moi est le problème principal : elle a tout simplement du mal à tenir une maison. Elle ne sait pas planifier. A sans doute la tête dans les nuages et remplie d'airs d'opéra.

Hier j'ai invité le vétérinaire à boire un café après qu'on s'était donnés à fond pour la mise bas des veaux jumeaux de Rosamunda. J'avais prévenu Désirée pour qu'elle ait le temps de tout préparer, pour une fois, peut-être décongeler quelques brioches ou préparer des tartines un peu chiadées. Putain ce que j'ai eu honte quand on est entrés et qu'on a trouvé la cuisine en bordel, Nils tout seul en train de dessiner sur le papier peint que je venais de poser et pas de café, il n'y en avait pas parce qu'elle avait oublié d'en acheter !

Si le véto n'avait pas été là, je pense que j'aurais lâché un petit commentaire ou deux, en plus j'avais un putain de creux au ventre. Mais elle avait l'air de faire la gueule et elle m'a seulement demandé si je pouvais m'occuper des mômes un petit moment ! Anita n'aurait jamais…

Oups, j'ai juré de ne jamais laisser mes pensées prendre ce chemin-là. Car je n'aurais pas échangé la Crevette même contre Julia Roberts. Elle est toujours mon amour impossible, ma Crevette désespérante dans ses savates qui font cloc cloc, du vomi de bébé sur l'épaule et des cheveux tellement emmêlés qu'on dirait qu'elle s'est coiffée avec un pétard… Elle ne s'était jamais mise en quatre pour son apparence avant, ce n'est pas avec notre mariage qu'elle a commencé, pourrait-on dire. L'autre jour quand elle s'est fâchée tout rouge seulement parce que je suis entré dans la cuisine chercher des tenailles, elle a même commencé à délirer sur de la thérapie familiale, alors je me suis dit que là, tu rêves ma petite Crevette, si je t'ai prise dans la barque, je te mènerai à bon port, même si je dois t'amarrer au banc de nage. Et d'ailleurs, comment tu trouverais le temps d'aller chez un thérapeute, toi qui te plains de ne même pas avoir le temps d'aller au cinéma ?

— Je me demande si tu m'as jamais aimée, a-t-elle reniflé quand je me suis permis quelques commentaires sur son planning ce jour-là. En tout cas, il est évident que tu ne m'aimes plus. Tu ne me vois que comme une stagiaire incapable qui serait en apprentissage chez toi.

Comment ça, "aimée", qu'est-ce qu'elle veut dire ? Les femmes parlent d'amour et se rappellent les anniversaires de mariage et la Saint-Valentin et elles se pendent à votre cou et demandent si vous les aimez. Bengt-Göran, lui, il a acheté de nouvelles jantes à Violette et moi, putain, j'ai quand même construit la véranda !

Je crois qu'il en va de l'amour des hommes comme de l'infarctus des femmes. Il n'est jamais détecté, parce qu'il a de tout autres symptômes !

51

Désirée

Je me fais tout le temps prendre dans des enchaîne-
ments. Des boucles d'événements.

Je mets une noisette de beurre dans la poêle pour
faire cuire une omelette pour le petit-déjeuner de
Benny. Soudain j'entends un cri, Nils est tombé, il
a entraîné une étagère dans sa chute et il faut l'ex-
tirper de là. Ma tasse favorite est cassée, je ramasse
les morceaux et vais pour les poser dans un placard
inaccessible en attendant d'aller en ville acheter de
la colle à porcelaine. C'est le moment que choi-
sit Benny pour pointer la tête et me demander le
registre d'étable qui se trouve dans la cuisine. Il a
appris, non sans difficulté, à ne pas entrer tout droit
dans la maison avec ses bottes aux pieds.

Je change de cap, pose les morceaux de porcelaine sur le meuble le plus proche et vais chercher
le registre dans le monceau de lettres, de magazines
agricoles et de publicités sur la commode de la cuisine, un vrai tas de compost. Je ne le trouve pas,
mais en revanche je mets la main sur une facture
d'électricité qui aurait dû être réglée depuis trois
semaines mais qui s'est retrouvée au bas de la pile.
Me jette sur le téléphone pour expliquer et arrêter

le recouvrement. Pendant que je patiente en ligne, Arvid arrive, il a besoin de ses patins à glace *immédiatement*, en trois secondes il vide le placard de son contenu qui s'éparpille dans le vestibule. Alors que j'attends toujours, "Votre correspondant sera bientôt disponible, merci de patienter !" j'essaie en pestant de repousser bottes, clubs de hockey et nids d'ange dans le placard avec la jambe tendue et je referme la porte d'entrée avec le genou, mais je suis maintenant dérangée par la fumée venant de la cuisine. C'est le beurre noirci dans la poêle destiné à cuire l'omelette. La première boucle est bouclée et pendant que j'ouvre la fenêtre pour faire partir la fumée et que j'essaie de court-circuiter le détecteur d'incendie qui hurle, je remonte sa piste : éclats de porcelaine sur le meuble du vestibule, une standardiste qui crie "Allô" dans un combiné qui se balance au bout du fil et une voix coléreuse sur le perron : "Et ce registre, ça vient ou quoi ?"

Avant que le manège s'immobilise, je suis précipitée tête la première dans l'enchaînement suivant. Klara se réveille en braillant, elle a fait un énorme pipi, un petit lac, je la prends sur le bras pour aller mettre les draps mouillés dans la machine à laver, elle en profite pour pisser encore une fois dans le panier rempli de linge propre, je lui mets la dernière couche du paquet et m'en vais marquer couches sur la liste des courses. Ne trouve ni le bloc-notes ni le stylo, les garçons n'arrêtent pas de les prendre, commence à écrire au dos d'une enveloppe avec les crayons de couleur des enfants, mais avant de me rappeler ce que je devais noter, Klara pousse un cri. Elle a trouvé un bout de porcelaine échappé et a réussi à se couper la langue. J'en ai le cœur serré et je suis prise de panique en regardant le sang dans les commissures de sa bouche et Benny pointe la tête pour dire qu'il vient d'inviter le vétérinaire à prendre un café. Klara hurle encore plus fort, puis Benny retire la tête, rapide comme une tortue, je lance quelques mots choisis à son dos quand je me précipite dans la salle de bains, Klara sur le bras. Tout en me demandant comment on colle un pansement sur une langue d'enfant, j'entends Arvid entrer avec ses patins à glace à deux lames, il patine sur la mare gelée derrière la maison. Comme toujours, il laisse la porte grande ouverte, il fait moins dix dehors, et il commence à arpenter la cuisine, les patins aux pieds. "J'ai faiiiiim !" beugle-t-il. Klara hoquette de pleurs, je la mets dans un porte-bébé sur mon dos, bien que je vienne de l'en déshabiller, ça me donne tellement mal au dos. Me précipite dans la cuisine, pour mettre en route le café, faut juste que je serve un bol de yoghourt à Arvid, lui crie d'enlever ses patins et je sens les douleurs lombaires se réveiller. Vais dans le vestibule pour fermer la porte qui bat aux vents du nord, croise le facteur qui veut ma signature, c'est un paquet pour l'étable. Je lui demande d'attendre pendant que je cherche la facture d'électricité impayée, autant profiter de sa venue pour faire un mandat, puis je retourne dans la cuisine, vois qu'Arvid a apparemment mangé son yoghourt avec les coudes avant de les traîner sur la nappe, j'aperçois Benny et le vétérinaire par la fenêtre, c'est vrai le café, j'essuie rapidement la toile cirée, sors des tasses et attrape la boîte à café. Le facteur me fait savoir avec impatience qu'il ne peut plus attendre et il part sur les chapeaux de roues, j'entends Benny et le vétérinaire tapoter les pieds sur le perron pour se débarrasser de la neige, oh mon Dieu, il n'y a plus de café, *encore*, Benny boit ses quinze tasses par jour, en douce, et ne me dit jamais quand la boîte est vide. Je cherche l'enveloppe où j'avais commencé la liste des courses pour marquer café aussi et ne trouve même pas les crayons, Nils les a chopés, il est en train de décorer le nouveau papier peint, des canards orange. Benny arrive, plisse le front de mécontentement et crache : tu aurais au moins pu préparer le café, toi qui restes à la maison, nous avons *travaillé* toute la matinée avec Rosamunda, elle a mis bas des jumeaux. Klara se démène et tend les bras vers son papa, il demande sur un ton accusateur si je n'ai pas vu qu'elle s'est blessée à la bouche, Nils est jaloux et tire sur le pantalon de son papa pour montrer les jolis canards qu'il a dessinés, le regard de Benny va des canards à moi et il est noir quand il se voit obligé de préparer Lui-Même du thé pour le vétérinaire, j'ai de plus en plus mal au dos et l'odeur que dégage Klara me dit qu'elle vient de remplir la dernière couche.

La deuxième boucle d'événements se referme, la facture d'électricité toujours pas payée, il faut relaver le linge que Klara a arrosé de pipi, le vétérinaire n'a pas son café, Benny est mécontent, Arvid a

BABEL

Extrait du catalogue

COÉDITION ACTES SUD – LEMÉAC

Ouvrage réalisé
par l'Atelier graphique Actes Sud.
Achevé d'imprimer
en décembre 2012
par Normandie Roto Impression s.a.s.
61250 Lonrai
sur papier fabriqué à partir de bois provenant
de forêts gérées durablement (www.fsc.org)
pour le compte
des éditions Actes Sud
Le Méjan
Place Nina-Berberova
13200 Arles.

Dépôt légal
1re édition : octobre 2012
N° impr. : 124837
(Imprimé en France)